# HEAVY METAL

# HEAVY METAL

LEANDRO BURGOS

2020

**HEAVY METAL**
Leandro Burgos

© 2020 – Leandro Burgos
Todos los derechos reservados.

Prólogo: Miguel Simón
Corrección: Pablo Aro Geraldes
Foto de portada: PHIL NOBLE / REUTERS

Diseño de cubierta: Inbrain.com.ar
Diagramación Interior: lucho@inbrain.com.ar

ISBN: 978-987-8370-01-9

# ÍNDICE

# PRÓLOGO

En un planeta dominado por los entrecejos fruncidos, los gestos de preocupación, el hermetismo y presiones que se transforman con rapidez en temibles envejecedores prematuros, él no sólo sonríe, sino que, con frecuencia, ríe, y lo hace con ganas, naturalidad y fuerza. Esa es su primera revolución, aunque la cronología nos traslade hasta el 2004 para encontrarnos con su primer acto revolucionario: conducir a Mainz 05 al primer ascenso a la Bundesliga. La receta, que concluyó con una larga espera cargada de frustraciones, fue la misma que posteriormente aplicó con éxito en otros trabajos. Convicción, ideas precisas, ilusión, curiosidad, innovación, voracidad y poder de transmisión.

Intensidad es un término que en el fútbol engloba capacidad atlética, ambición en la recuperación de la pelota y compromiso para atacar, sin que lo frenético le quite claridad al camino seleccionado. Intensidad es una valoradísima herramienta que hace bueno cualquier sistema. Intensidad es una palabra que lo resume, aunque Jürgen Klopp encontró en la música un género que lo defina todavía mejor. Consultado en el 2013 sobre el estilo pregonado por el francés Wenger, el moderno sabio alemán declaró: "A Arsene le gusta tener el balón, pasárselo de un lado a otro. Parece una orquesta, pero también una canción silenciosa. A mí me gusta el Heavy Metal"

Y seducido por ese particular Heavy Metal, con el cual es muy difícil ser indiferente, Leandro Burgos empezó a sumergirse en el variado pentagrama de Klopp. La escuela que significó el Mainz 05, donde pasó 18 años y moldeó, influenciado por Wolfgang Frank, su personalidad competitiva. Un club donde pocos secretos quedaron ocultos para un jugador que supo desempeñarse de centrodelantero y de defensor durante su estancia en la división superior. Un caso atípico que marca inteligencia y visión para reinventarse y perdurar, características que lo siguen acompañando en la función de director técnico.

Este fascinante viaje metalero propuesto por Leandro nos llevará, además, a la sala de máquinas del Borussia Dortmund y a la fabricación de un conjunto valiente para desafiar al gigante Bayern Múnich. El vertiginoso recorrido desembocará en un punto muy alto (el pico aún no se divisa) de la montaña de pasiones que ha ido construyendo. La revolución desatada en Liverpool no está vinculada únicamente con los trofeos y las victorias al por mayor. No había mejor antídoto para regar la sequía y la angustia de tres décadas sin conquistas en Premier League que la llegada de un "desdramatizador ultra competitivo", dos facetas que parecían imposibles de unir. Así como también lo era, en otro momento de la historia, imaginar que esas banderas alemanas, que hoy abundan en Anfield, flamearían en la segunda ciudad inglesa más bombardeada por los nazis.

"A un perdedor, perder lo derrota. A un ganador, perder lo inspira". La frase no pretende spoilear el capítulo final, porque, en definitiva, si bien quedó ubicada en el cierre de la obra, podría haber sido colocada en cualquier punto de esta carrera alocada a la que se subieron los hinchas de Liverpool.

Reírse de lo imposible, de eso se trata para Klopp. De la risa más emblemática del actual planeta fútbol se trata este libro, repleto de puertas para abrir e indagar. Y cuando uno encuentra risas debe intentar disfrutarlas. Por eso a partir de ahora, por un placentero rato, no escuches Heavy Metal. Lee Heavy Metal.

Miguel Simón.

# 1.
## MAINZ 05
## (1990 – 2008)

## 1.1
## INICIOS COMO FUTBOLISTA

*"Tenía la habilidad de un jugador de tercera división y la cabeza de uno de primera. Así que me quedé en segunda"*

A pesar de haber nacido en Stuttgart en 1967, Jürgen pasó casi toda su infancia en Glatten, un pequeño pueblo ubicado en la Selva Negra alemana, y el propio entrenador se burla hoy en día de las dimensiones del distrito ubicado en el estado de Freudenstadt, a unos 230 kilómetros de Frankfurt: *"En mi pueblo vivían 1.500 personas hasta que me fui yo, ahora son 1.499"*. Como le contó al diario *As* en el 2018 al recordar sus días en Glatten: *"Lo único que sé, es que había una gran cantidad de pájaros y que la vida era sencilla en esos días, y parecía que siempre había buen clima. Teníamos veranos e inviernos de verdad, y ambos se sentían como tales, pero eso fue hace mucho tiempo"*.

Con tan solo cinco años ya jugaba en el SV Glatten, un club deportivo local que se fundó en 1921, y en el que estuvo durante diez años: *"En nuestro primer partido, Jürgen perseguía un balón largo y se estrelló contra el arquero. Se rompió la clavícula y se dislocó el hombro, pero aun así llegó al siguiente encuentro. Se podía ver lo desesperado que estaba por involucrarse, y tenía solamente ocho años"*, cuenta su entrenador de infantiles Ulrich Rath.

Cuando cumplió los dieciséis, empezaba a ser más consciente de lo que podía hacer como jugador, por lo que decidió buscar un poco más de nivel de competencia y pasar al TuS Ergenzingen, ubicado a tan solo unos kilómetros de su pueblo: *"Para un niño era un lugar fantástico para crecer, pero un poco aburrido para un adolescente, aunque no era un gran problema porque entrenaba cuatro o cinco veces a la semana. No tenía demasiado tiempo para otras cosas. Fue brillante. No puedo decir nada malo del período escolar porque fue muy bueno. Todavía me gusta regresar, pese a que no sucede muy a menudo. Pero cuando estoy allí siempre es agradable, recupero un montón de recuerdos"*. Ahí estaba el joven Klopp, con casi diecisiete años, jugando para el sub-19 del equipo, con sus shorts azules, camiseta amarilla y algo que sería característico en él durante los siguientes años, la cinta de capitán en el brazo.

Según la Real Academia Española, la personalidad se define como un patrón de comportamiento, pensamiento y emoción relativamente estable en el tiempo, y que se moldea a través de las diferentes situaciones vividas. Las primeras características, surgen durante la niñez y lo que llamamos temperamento tiene la principal influencia de la herencia genética. Su padre, Norbert Klopp, era futbolista y, además, su principal referente: *"Recuerdo una vez cuando era solo un niño, fuimos a jugar al tenis y me ganó 6-0 y 6-0. Me puse furioso y le grité: '¿Crees que esto es divertido para mí?'. Al otro lado de la red, él me respondió aún más enfadado: '¿Y tú qué te crees, que es divertido para mí?'"*, recuerda Jürgen y hace entender un poco más sobre cómo se desarrolló su personalidad tan competitiva. Al ser el temperamento un componente fuertemente vinculado a la afectividad, actúa como base para la construcción de la personalidad: *"Teníamos una relación muy intensa. Hoy lo extraño mucho. El trabajo de entrenador era la actividad por la que él hubiera dicho: '¡Perfecto!'. Él me hubiera molestado más que ustedes los periodistas. Hubiera preguntado constantemente: '¿Por qué juega este jugador, y por qué no juega este otro?', pero se hubiera sentido realmente orgulloso. Desafortunadamente, nunca me vio en este rol. Murió en el 2000, y me convertí en entrenador del Mainz en 2001"*, le explicó en 2009 al diario *Bild*. Klopp declaró más de una vez que se considera "extremadamente miope", y que esto es una característica desde su juventud. Incluso, hasta los 20 años utilizó los anteojos de su padre y recién cuando cumplió esa edad se compró unos propios. Hoy esos lentes tan característicos, que son casi una marca registrada, lo acompañan durante cada partido y es imposible imaginarlo sin ellos.

La decisión de ser jugador profesional todavía no estaba 100% tomada, y con el último año de escuela en curso, manejaba la posibilidad de inscribirse en la facultad de medicina: *"De joven quería ser médico y aún creo que puedo tener un síndrome de ayudar, pero no me creía lo suficientemente inteligente como para estudiar esa carrera en la universidad"*, contó Klopp en una entrevista con el dramaturgo y novelista Moritz Rinke. Mientras estaban entregando el título de la escuela secundaria, el director del colegio le dijo: *"Espero que funcione con el fútbol, de lo contrario no se verá muy bien para ti"...* Parecía que su inteligencia solo se enmarcaba en lo referente al fútbol, y en esa área en particular mostraba a su cabeza como su principal potencial. Sin embargo, y a pesar de sus esfuerzos, solo estuvo en el TuS Ergenzingen por una temporada, y pasó al FC Pforzheim en 1987. Las proyecciones no eran las mejores y apenas jugó cuatro partidos oficiales como centrodelantero para el equipo de Bernd Hoffman, el entrenador que lo tildó de ser *"un niño con pánico escénico"*.

Exactamente el 1º de julio de 1987, con veinte años, Klopp pasó al Eintracht Frankfurt II y aunque jugaba en el equipo de reserva, pudo empezar a encaminar una carrera que le estaba siendo esquiva. Por aquel entonces debutaba en el Eintracht el mediocampista Andreas Möller, que luego sería campeón del mundo con Alemania en 1990 y que también obtendría la Eurocopa 1996: *"Si eso es fútbol, estoy jugando un deporte completamente diferente"*, decía Klopp absolutamente consciente de que su carrera como jugador no iba a llevarlo hacia la cima.

A aquella temporada le sucedieron una seguidilla de equipos, primero el Viktoria Sindlingen en 1988/1989, donde recordarían a Jürgen durante mucho tiempo por marcar dos goles en el partido decisivo frente al FC Erbach, lo que salvaba al equipo del descenso a la cuarta división del fútbol alemán. Tiempo después, mientras dirigía al Borussia Dortmund, Klopp mencionó en una entrevista aquellos años en la tercera categoría y en especial a sus goles para mantener al Viktoria Sindlingen en la Oberliga Hessen. Esas declaraciones llegaron a oídos del por entonces entrenador del Viktoria, Norbert Neuhaus, que se encargó de enviarle a Dortmund un compilado de imágenes de aquella temporada en la que el joven Jürgen había sido protagonista. Luego recibió el llamado de su ex dirigido, quien le agradeció el detalle.

Para la campaña 1989/90 pasaba al Rot-Weiss Frankfurt, y con 22 años llegaba a otro de los clubes de la "capital económica alemana" como jugador libre. Este fue uno de sus mejores años a nivel deportivo, ya que el RW Frankfurt se estaba reforzando con muy buenos jugadores luego de haber quedado en las puertas del ascenso a la 2.Bundesliga la temporada anterior. Entre las grandes figuras se encontraban Armin Kraaz, Alexander Caspary, Alexander Schur y un jugador muy importante proveniente del Borussia Dortmund, Oliver Roth. Toda esa gran base de jugadores, junto con el entrenador serbio Dragoslav Stepanović, consiguieron ser campeones de la tercera división, pero en la fase de promoción con los equipos de la 2.Bundesliga, no lograron el ascenso y finalizaron con la decepcionante suma de cuatro derrotas y un empate. Sin embargo, Klopp en especial despertó lo que sería un quiebre en su carrera: el interés del Mainz 05, club que acababa de alzarse con la Oberliga Südwest y subía a la 2.Bundesliga.

De esta forma llegaba al que sería el club de su vida, pero el paso de Jürgen por la segunda división germana estuvo marcado por las irregularidades. Aterrizó en Mainz con el 14 en la espalda y con las ganas de convertir goles, como cualquier delantero, pero lo que destacaban no era su capacidad goleadora ni su puntería. Tampoco su velocidad, y ni siquiera su poderío físico. Era su mente lo que lo hacía sobresalir del resto: *"En mi carrera como futbolista no logré trasladar a la cancha lo que ensayaba en mi cabeza. Tenía un talento de tercera división y una cabeza de primera, así que me quedé en segunda"*, cuenta hoy con su particular sonrisa.

La fantástica noticia para él era que su entrenador, Robert Jung, conocía perfectamente sus virtudes. Y poco a poco Klopp fue adaptando su juego a lo que su cabeza le pedía, y bastante bien lo habrá hecho, ya que permaneció en Mainz durante diez años. Un dato curioso es que en la campaña 1990/91 llevó en su espalda el número 14, luego el 13, el 11, el 9 y por último el 2.

Al año siguiente redondeó la mejor temporada de su vida, con el partido frente al FC Rot-Weiss Erfurt como su pico máximo. En la victoria por 5-0 Jürgen convirtió cuatro goles y se llevó la pelota a su casa. Por entonces un récord absoluto en la historia del club rojo, y que luego fue igualado por Benjamin Auer, que en 2003 logró "un póker" en el triunfo 4-1 ante el Eintracht Braunschweig, mientras era dirigido, justamente, por Klopp.

Los números que iba alcanzando a lo largo del tiempo hicieron que dejara una profunda huella como futbolista, pero las malas campañas del equipo nunca le dieron la posibilidad de llegar a la Bundesliga para cumplir su sueño.

En 1995 ya tenía bastante claro cuál sería su camino y decidió acudir durante mucho tiempo a la Universidad Goethe de Frankfurt para obtener el título en Ciencias del Deporte, lo que sería el puntapié inicial para luego formarse como entrenador. Todo ocurría mientras continuaba como titular en el Mainz, por lo que no frenó en ningún momento su compromiso como jugador. La batalla con los libros no resultó tan fácil. La carrera implicaba cumplir con muchos deportes, entrenamientos y trabajos escritos. Nunca había practicado natación, en gimnasia era decididamente malo y el salto con garrocha no era su fuerte. Luego de intentarlo muchas veces, llegó al último desafío: escribir un texto final para conseguir el diploma. Junto a sus compañeros, iniciaron la tesis sobre "Caminar", una idea que al principio no parecía nada atractiva, pero que se convirtió en la tesis de grado sobre caminar en Alemania, la única hasta este momento. Así lo recuerda su profesor Klaus Bös en una reciente entrevista a la cadena británica *BBC*: *"Me gustaba como persona, ya que era de mente abierta. Siempre fue un placer conversar con él. Era complicado para él organizar todo, teniendo en ese momento 23 o 24 años. Pero eso le sirvió sin duda para su futuro".*

A pesar de las pocas horas de sueño, Klopp disfrutó el paso por la universidad y la utilizó para absorber toda la información que pudiera, porque sabía que más adelante eso le daría sus frutos: *"Recuerdo los días de verano en los que realmente queríamos aprender, pero nos quedábamos dormidos en la alfombra suave del piso del gimnasio de salto en alto."*, rememoró.

Así transcurrieron aquellos años, entre goles y cursos. Entre cambios de posiciones en el campo de juego y charlas tácticas con sus entrenadores con el fin de aprender. De centrodelantero pasó a ser centrocampista y posteriormente se convirtió en lateral derecho. Cada vez con menos peso específico en el sistema de juego desde el punto de vista futbolístico, pero también cada vez con mayor importancia por sus características de líder y su inteligencia táctica. El futuro como entrenador ya era una decisión tomada y todo lo que hacía era en función a esa idea. No solo tenía la capacidad de adquirir conocimiento, también mostraba mucha facilidad para explicar.

Su paso por el Mainz 05 dejó un total de 340 partidos jugados, lo que lo ubica como tercero en número de presencias en la historia del club de la ciudad que en castellano se suele traducir como Maguncia. Además, aportó la excelente suma de 56 goles, un buen número si se tienen en cuenta los cambios de puesto a los que se vio sometido durante aquella década. Pero por sobre todas las cosas tenía a una ciudad enamorada de su carisma y de su personalidad; lo que le daría la credibilidad para continuar ligado al club por el tiempo que quisiera. Una vida dedicada al fútbol, con muchísimos altibajos, habían delineado un carácter muy especial. Ningún ganador se moldea sin haber perdido algunas veces. Como dijo Bobby Knight, entrenador de la NBA: *"La clave no es la voluntad de ganar... todos tienen eso. Es la voluntad de prepararse para ganar lo que es importante"*.

Sin embargo, a Jürgen Klopp le restaba realizar un máster avanzado fundamental. El más importante de su vida. El maestro se llamaba Wolfgang Frank, y llegaba a Mainz en 1995.

# 1.2
# LA IMPORTANCIA DE WOLFGANG FRANK

## "Fue mi mayor influencia"

Aquellos que vieron jugar al Mainz de Wolfgang Frank entre 1995 y 1997, aseguran que su estilo de juego era exactamente igual al que luego Jürgen Klopp pregonó a lo largo de su carrera.

En el libro de Mainz 05 "Karneval am Bruchweg" (Carnaval en Bruchweg), Reinhard Rehberg y Christian Karn cuentan cómo el ex jugador de Borussia Dortmund y el Nürnberg, entre otros, llegó a Mainz y marcó una época: *"Wolfgang Frank cambió el club de pies a cabeza. El club había encontrado con él a un gran trabajador, excelente táctico, gran motivador y entrenador creativo"*, y bajo su brazo traía el libro del italiano Arrigo Sacchi, caracterizado por su fútbol agresivo y una gran visión de futuro.

Su trabajo se convirtió en el modelo que utilizarían toda una generación de técnicos que fueron dirigidos por el alemán. Según un informe de Jan Budde en su podcast llamado "Die Hinterhofsänger", más del 50% de sus jugadores siguieron sus pasos en el arte de dirigir profesionalmente. Entre ellos se encontraban Torsten Lieberknecht, Jürgen Kramny, y el mencionado Jürgen Klopp.

La metodología de Frank tenía un rumbo claro: los entrenamientos no comenzaban hasta que sus jugadores hayan incorporado las ideas de lo que iban a hacer durante la práctica. Por eso durante aquella estadía en Mainz 05, muchos de los trabajos tácticos comenzaban cerca de las 11 de la mañana, luego de haber estado dos horas encerrados adquiriendo los conocimientos teóricos necesarios. Pero Klopp llegaba incluso antes, y cerca de las siete de la mañana ya estaba encerrado con el entrenador discutiendo y desmenuzando las nuevas ideas que traía a Mainz. Para ese momento Jürgen ya contaba con 30 años y según cuenta su compañero Torsten Lieberknecht, su proyección para el futuro ya estaba determinada: *"Cualquiera que hubiera estado allí en las reuniones del equipo a las siete de la mañana, medio dormido, vio una y otra vez cómo Frank y Klopp diseccionaron un juego durante dos horas frente a todo el equipo. Fue bastante claro ver que algún día se convertiría en entrenador".*

Cuando se habla de la revolución que produjo Wolfgang Frank con su llegada, si bien hubo varios factores, primero hay que hacer hincapié en lo futbolístico. Su modelo era el de Sacchi, que enfocaba su idea, por un lado en el énfasis por controlar los espacios y presionar de manera sincronizada al rival, y por el otro, en la mecanización con la posesión de la pelota. Pero a la idea general de Sacchi, Frank le agregó dos cambios tácticos fundamentales que marcarían una época en el fútbol alemán. En primer término, decidió eliminar al quinto defensor que en aquel entonces jugaba como líbero. Una locura teniendo en cuenta que uno de los pioneros en ese puesto había sido Franz Beckenbauer.

De esta forma pasaría a jugar con cuatro defensores, y lo que hoy resulta tan natural, Frank debió practicarlo por varias horas (y varias semanas) en las canchas de entrenamiento: *"El gran impulso evolutivo de principios de los '90 vino con el cambio a un marcaje por zonas centrado en la pelota. Ya no se marcaba al jugador. En Alemania, hasta 1994, si tu marca se movía, le seguías hasta el baño. El marcaje en zona hizo que no tuvieras que limitarte a destrozar el juego contrario, sino que podías desarrollar tu propio juego. Tardamos en implementar el 4-4-2",* explica Klopp.

Para potenciar la marca zonal, desarrolló otro sistema de entrenamiento muy poco habitual, como lo cuenta su arquero Michael Gurski: *"Solía poner banderas en todo el campo y el equipo tenía que moverse de A a B con mucha sincronización. Él y Ralf Rangnick fueron los entrenadores tácticos más innovadores de la época. Y muchos copiaron y desarrollaron su estilo de fútbol".*

Wolfgang Frank había llegado a un club golpeado por los malos resultados y en zona de descenso, pero poco a poco la idea se fue afianzando y las victorias comenzaron a llegar. Incluso estuvo a un paso de conseguir el ascenso a la Bundesliga. Algo bastante similar a lo que tiempo después sucedería con su discípulo más reconocido.

El estilo de juego ya había sido asimilado por Klopp y sus compañeros y se podía observar la fluidez posicional que tanto pregonaba Frank, presionando constantemente en todas las áreas del campo y sin dejar al rival tiempo para pensar. Había conseguido la agresión y la tenacidad en defensa, que combinada con ataques rápidos y automatizados determinaba una forma de jugar que sería tendencia en el fútbol moderno.

Otra característica por la que es reconocido Wolfgang Frank es la introducción del análisis de los rivales mediante videos. En aquella época no era algo habitual, y contrató a un grupo especial de analistas de la Universidad de Mainz, entre los que se encontraba Peter Krawitz, quien en 2016 contó en declaraciones al diario *Thelegraph*: *"Era nuevo en Alemania jugar de esta manera. Mainz fue el primero en hacerlo y el éxito fue increíble. Frank fue una persona muy importante para todos nosotros".*

Para Klopp, dicho en sus propias palabras, era como una relación de padre e hijo, pero para Raphael Honigstein, autor del libro "Klopp: Bring the Noise", hay una diferencia fundamental entre el maestro y su alumno, y así la explicaba al sitio web *This is Anfield*: *"Creo que Frank tuvo problemas para conectarse con la gente como Klopp lo hace. Frank era mucho más introvertido, mucho más propenso a las dudas y a las reacciones instintivas. Klopp logró ver más allá de eso, y pudo observar el genio de Frank, pero no todos lo hicieron, creo que era una figura muy complicada y compleja".* A todos los matices tácticos y la revolución ideológica, Klopp pudo agregarle su carisma tan característico para convencer a los propios y llamar la atención de los extraños.

Como jugador, Frank había anotado 89 goles en 215 partidos jugados entre Stuttgart Braunschweig, Borussia Dortmund y Núremberg (entre 1971 y 1982). Ya como entrenador, dirigió a muchísimos equipos entre los que se destacan el Austria Viena, MSV Duisburg y Unterhaching, sumados a sus dos etapas en Mainz 05, primero entre 1995 y 1997, y con su rápido regreso entre 1998 y 2000. En los últimos años recalcó sus salidas de Mainz como demasiado apresuradas y confesó: *"hoy lo haría de manera diferente y aportaría más paciencia".* Su salida en 2000 se había dado con la idea de perseguir el sueño de dirigir en la Bundesliga, debido a un interés del Duisburg, pero solo estuvo cuatro meses en el cargo antes de ser despedido. Lamentablemente nunca pudo conseguir el título de Bundesliga y su paso por la primera división fue fugaz, lo que en Alemania lo dejó con la imagen de alguien a quien le faltó dar el salto. Sin embargo, dentro de los entrenadores europeos apasionados por la táctica, vivirá siempre como el recuerdo de un genio de la innovación que cambió el paradigma del fútbol alemán.

Su fallecimiento en 2013 con apenas 62 años, a causa de un tumor cerebral, dejó un gran dolor tanto en Klopp como en el resto de sus dirigidos, y casi no hubo ausentes para despedirlo en su funeral. Si bien muchos entrenadores se habían visto influidos por las ideas de Frank, ninguno se vio tan profundamente motivado como Klopp. Había pasado de ser un jugador -dicho por él mismo- con grandes limitaciones desde lo futbolístico, a encontrar su rol perfecto dentro del equipo. Muchas veces desde el banco de suplentes, como cuando frente al SV Meppen ingresó para convertir un gol espectacular de volea durante la temporada 1997/1998.

Su enorme fanatismo por entender el juego lo convirtió en la extensión de Frank adentro del campo de juego, y eso, como contó en el programa inglés *Monday Night Football*, repercutió enormemente en el final de su carrera: *"Cuando me convertí en entrenador algunos años después, usé muchas de las cosas que aprendí de él. Era el modelo a seguir perfecto y muchos de sus jugadores ahora están dirigiendo en todo el mundo".* También destacó lo importante que fue el convencimiento que les transmitió para confiar en ellos mismos: *"Éramos un equipo promedio, no muy bien pagado, y no mucha gente se preocupaba por el club, pero con su llegada aprendimos que a pesar de que muchos rivales son mejores que nosotros, aún podíamos vencerlos. A nosotros eso nos abrió los ojos".*

Cuando Klopp llegó al Liverpool todos querían saber más de él, y Jamie Carragher, el histórico defensor del club devenido a periodista, le consultó en una entrevista si algún entrenador lo influyó más que otro para elegir esa profesión. La respuesta fue muy clara: *"Sí. Se llamaba Wolfgang Frank y desafortunadamente murió demasiado pronto".*

# 1.3
# SUS PRIMEROS AÑOS COMO ENTRENADOR

### "Amaba demasiado este juego como para abandonarlo"

El 28 de febrero de 2001 la película "Das Experiment" (El experimento), dirigida por Oliver Hirschbiegel, rompía récords de boletería en los cines alemanes. Mientras tanto, en Mainz, una pequeña y pintoresca ciudad ubicada a solo 40 minutos en auto de Frankfurt, se llevaba a cabo otro experimento tras la inesperada destitución de Eckhard Krautzun al frente del equipo. El experimento en cuestión se llamaba Jürgen Klopp.

Mainz es una ciudad más bien universitaria de 209.000 habitantes, con tintes romanos y la capital del estado de Renania-Palatinado. Tiene un museo dedicado a Gutenberg, inventor de la imprenta moderna, y con un paseo entre los templos y las casas de Kirschgarten se pueden conocer los diferentes puestos gastronómicos y cerveceros que caracterizan a la ribera del río Rin.

Tras el primer intento fallido de crear un club de fútbol en la ciudad en 1903, la segunda oportunidad llego dos años después con la fundación del Mainzer Fussballclub Hassia 1905, que tras unos años de participación en la Süddeutschen Fußballverband (la Liga Sur del fútbol álemán), se fusionó con el FC Hermannia 07 para formar el Mainzer Fussballverein Hassia 05, que eliminó "Hassia" de su nombre en 1912.

Como todo en Alemania, tras la Primera Guerra Mundial hubo cambios, y el club volvió a fusionarse en 1919. Esta vez con Sportverein 1908 Mainz, lo que dio lugar a la formación del Mainzer Fußball- und Sportverein 05. El equipo se consolidó en aquellos tiempos e incluso ganó algunos campeonatos de la Liga Regional. A finales de la década de 1920 y principios de la de 1930, el club obtuvo resultados bastante positivos en la Bezirksliga Main-Hessen, que fue la liga deportiva de mayor asociación en el estado germano de Hesse entre 1927 y 1933. De hecho, por esos años logró los primeros puestos en 1932 y 1933, lo que le permitió un lugar en la Gauliga Südwest, una de las ligas formadas en la reorganización del fútbol alemán bajo el Tercer Reich. El mismo gobierno que decidió terminar con la anterior Liga del estado de Hesse.

En 1938, ya se respiraban nuevamente aires de guerra y con el conflicto bélico a la vuelta de la esquina, otra fusión llamaría a la puerta del Mainz, ahora con el Reichsbahn SV Mainz. De esta manera, compitió con el nombre de Reichsbahn SV Mainz 05 hasta el final de la Segunda Guerra Mundial.

Durante la mayor parte de los siguientes cuarenta años se movió por la segunda división, antes de su retiro por problemas económicos hasta finales de los años ochenta. A partir de entonces llega la época moderna, quizá un poco más conocida por el público general, en la que el club volvió al juego profesional con el ascenso a la Segunda división, la conocida "2. Bundesliga", aunque solo fue por una temporada, la 1988/1989, ya que en ese mismo año descendió a la tercera categoría.

Apenas un año después, si bien pudo lograr el ascenso y terminar en la octava ubicación, seguía acostumbrado ser un equipo que peleaba siempre para poder permanecer en la categoría. Ahí es cuando aparece uno de los nombres fuertes en la historia de "Die Nullfünfer" (los cero-cinco): el mencionado Wolfgang Frank. Considerado un entrenador poco ortodoxo para la época por sus innovaciones tácticas, Jürgen Klopp se encargó de aprovecharlo al máximo: *"Cuando empecé no aprendí nada sobre el fútbol que me gustaba, todo era: '¿Cómo podemos conseguir los puntos?'. Y Frank me inspiró, no tanto en la idea de un fútbol emocionante, pero sí en la organización. Cómo disponer un equipo para no perder, porque cuando me convertí en entrenador perdimos muchos partidos"*.

El 28 de febrero de 2001, el Mainz 05 disputaba una vez más la segunda división alemana y necesitaba un entrenador de manera urgente, ya que en apenas algunas horas debía enfrentar al Chemnitzer FC como local. Hacía solo tres días, 3590 personas habían presenciado el último partido oficial como jugador de Jürgen Klopp en la cancha del Greuther Fürth, y ahora era elegido interino para comandar la nave que dejaba Eckhard Krautzun, y que parecía tener rumbo hacia la tercera división. Hundido en una profunda crisis, el Mainz 05 debía luchar por mantener la categoría a falta de pocas fechas para el final del campeonato y Klopp era el primer apuntado para tomar el timón.

La historia cuenta que mientras todos los jugadores se encontraban reunidos con el director deportivo del club, Christian Heidel, para delinear el camino, no dudaron en proponer a su compañero como posible candidato a ocupar el puesto vacante. Entonces Heidel se acercó a Klopp y le preguntó: *"¿quieres entrenar a tus compañeros?"*. Tras la respuesta afirmativa, la decisión estaba tomada: *"La presentación de Jürgen como entrenador interino, estuvo acompañada de escepticismo y risas, porque él conservó su contrato de futbolista hasta el final del campeonato. Yo, sin embargo, estaba convencido que él era la persona indicada para ocupar el cargo: conocía el club, como jugador era el cerebro del equipo, estaba muy motivado y tenía una personalidad que entusiasmaba a la gente a su alrededor"*, comentó un tiempo más adelante el propio Heidel al diario *Bild*.

Unos instantes después de finalizada la reunión entre todo el plantel, quien llamó por teléfono a la concentración fue el entrenador de juveniles, y le preguntó a Jürgen quien era el nuevo DT: *"Desde hace 10 minutos, yo"*, contestó Klopp sonriente.

La larga historia como entrenador comenzó ese final de febrero como una operación de salvataje y se extendería por muchos años, siete para ser exactos.

El debut oficial como DT fue en la fecha número 24, con victoria por 3-1 sobre el Chemnitzer, equipo que ya estaba virtualmente descendido y que sumó apenas 16 puntos en los 34 partidos del torneo. Los resultados positivos comenzaron a llegar, y ese mismo año el Mainz se salvaba del descenso por tres puntos. Si bien el equipo había tenido un gran arranque al conseguir cinco victorias y un empate en los primeros seis encuentros, luego no pudo ganar en lo que quedaba del torneo y terminó sufriendo en las últimas dos fechas.

Con el éxito consumado, nadie dudaba de que Klopp debía continuar con las riendas el año siguiente. Christian Heidel contó en una nota con el sitio oficial de la Bundesliga en 2017: *"Pusimos como entrenador a un jugador que lo había vivido todo, y que lo transmitió a sus jugadores. Estaba planeado para un partido, y se quedó dos... Y luego el resto del torneo. Y así hasta llegar a siete años. Esto marcó al club"*.

En la temporada 2001/02 ya se vería un equipo distinto, con varios destellos de lo que iría puliendo luego y que terminaría de explotar varios años después en Dortmund. La intención era organizarse para recuperar la pelota y a partir de ahí atacar rápidamente a los espacios que el rival había descuidado. Ese año fue tan bueno que el Mainz quedó a un punto de lograr el ascenso a la Bundesliga, de hecho, estaba en segundo lugar hasta dos fechas antes de finalizar el torneo, pero tropezó al empatar como local en la penúltima jornada con el Greuther Fürth (aquel equipo contra el que disputó su último partido como jugador), y luego cayó 3 -1 ante Unión Berlin para cerrar el campeonato fuera de los puestos de ascenso.

Si eso dejó un gusto amargo, prepárense para lo que ocurrió el año siguiente, porque realmente no tiene explicación. Llegaban con la misma cantidad de puntos tanto el Mainz 05 como el Eintracht Frankfurt al último partido del torneo, con la salvedad de que el equipo de Klopp venía de golear por 5-1 al VfB Lübeck, lo que lo dejaba a solo un gol de diferencia con su competidor, el Eintracht. Así las cosas, el Mainz le alcanzaba con un empate en la diferencia de gol final para lograr el ascenso.

En 60 minutos de partido, el Mainz goleaba 4-0 a Braunschweig con tantos de Benajin Auer (el día que igualó el récord de su entrenador), mientras que en simultáneo en el estadio del Eintracht había empate 3-3. Estos resultados dejaban un saldo de +3 para los de Jürgen Klopp. En el minuto 80 llegó el descuento que ponía el 4-1, mientras que dos minutos después venían las noticias del gol del Frankfurt que dejaba, a estos últimos, a dos goles del ascenso.

Finalizado el partido del Mainz, los jugadores se reunieron en el círculo central para escuchar el final del partido en Frankfurt, dos goles sobre la hora (uno a los 90 y el sexto a los 93) decretarían el 6-3 final y una nueva desilusión para los dirigidos por Klopp. El video de esos últimos minutos se puede encontrar fácilmente en *Youtube* como "Eintracht Frankfurt Aufstieg 2003" y muestra el desenlace del partido del Eintracht, por un lado, y por el otro al presidente del Mainz, Harald Strutz, sentado en el campo de juego, llorando desconsoladamente. Por su parte se puede observar a Klopp rompiendo esa ronda con sus jugadores en el centro de la cancha para ir a aplaudir a los hinchas del Mainz que los habían acompañado. Por segundo año consecutivo la decepción era total, y nuevamente el ascenso se escapaba en la última jornada.

Mucho tiempo después, el entrenador contaría cómo este tipo de sucesos lo hicieron crecer: *"Si algo aprendí al comienzo de mi carrera, tras varios fracasos seguidos con el Mainz, es que siempre hay un día después, una revancha, y hay que trabajar duro para revertir la situación. Hay que torear con lesiones de jugadores y mil problemas. Los entrenadores estamos para aportar soluciones y si tenemos cinco situaciones difíciles, hay que solventarlas".* Sin embargo, el ascenso que merecían hace tiempo y que se hizo esperar tres años, llegaría en la temporada 2003/04, pero claro, como ya se había hecho costumbre, toda una ciudad iba a sufrir hasta los últimos segundos del último partido del campeonato.

# 1.4
# EL ASCENSO CON MAINZ 05

### "El mayor logro de mi carrera
### fue ascender al Mainz en 2004"

Si bien esta frase puede parecer lejana en el tiempo por todo lo que ganó posteriormente a su estadía en Mainz, la misma se remite a las horas previas de la final que jugó ante el Tottenham por la Champions League 2018/19 ya como técnico del Liverpool. Esto quiere decir que tras haber conquistado la Bundesliga en dos ocasiones y luego de tres Copas de Alemania (una Supercopa incluida) frente al Bayern Múnich, para Klopp ese ascenso con el club que lo vio nacer como entrenador y que prácticamente le dio todo como futbolista, tenía un lugar muy especial.

Incluso, la valoración que le da fue ubicada por él mismo por encima de las dos finales de Champions League que había disputado antes, primero con el Dortmund en 2013 y luego con el Liverpool en 2018, o de la increíble victoria frente al Real Madrid en el 2013, cuando a pesar de no haber levantado un trofeo, bien podrían haber sido lo que él considerara la cima de su carrera.

Para entender el porqué de este pensamiento de Klopp era necesario profundizar en cómo se llevó a cabo todo ese proceso, alejándonos tres años desde aquel mayo de 2004 que quedó tan grabado a fuego en su corazón.

Todos los años durante febrero Mainz es desbordada por el popular carnaval que envuelve a la ciudad. Durante seis días el colorido, la música y la diversión se llevan toda la atención de cientos de miles de personas. Pero en 2004 la fiesta más grande de la ciudad no sería la clásica "Fastnacht" ni se celebraría en febrero. Se retrasaría unos meses, más precisamente hasta el domingo 23 de mayo, cuando el árbitro del partido entre Karlsruher SC y Alemannia Aachen, decretaba el final de la temporada. El Mainz había conseguido el sueño de ascender por primera vez a la Bundesliga, y toda la ciudad tocaba el cielo con las manos.

Ese año, Jürgen Klopp decidió realizar la pretemporada en Grassau, un pequeño pueblo al sur de Alemania muy cerca de Múnich y casi al límite de la frontera con Austria. Se caracteriza por ser un sitio muy tranquilo, rodeado de montañas y con un gran lago. Un lugar ideal para encontrar algo de paz, luego de lo que había sido un final de temporada demoledor pocos meses antes. Previo al viaje a Grassau, hubo una presentación oficial del plantel en el estadio, a la que acudieron 5.000 personas, una verdadera fiesta. El *Frankfurter Allgemeine* titulaba *"Una ciudad ha descubierto el fútbol"*, y remarcaba que este deporte se había convertido en el tema de conversación más habitual de Mainz. Los 5.000 hinchas que estuvieron esa tarde en el Bruchwegstadion fueron casi un tercio de las que habían presenciado el último partido de la temporada anterior como local, frente al Lübeck. La euforia continuaba siendo muy alta a pesar del duro golpe de hacía solo unos meses.

En total fueron siete los jugadores que dejaron el equipo: Christ, Hock, Buck, Muftawu, Melunovic y Duhaney, sumados a la que era la perdida más importante, el ucraniano Andriy Voronin. El goleador del equipo dejaba Mainz, para incorporarse al Colonia y jugar la Bundesliga. Unos años más adelante jugaría en el Liverpool. A la par de las partidas, llegó el mismo número de incorporaciones, en su mayoría jóvenes: Fabian Gerber (proveniente del St. Pauli), Rajko Tavcar (Wacker Burghausen), Christoph Teinert (TSG Hoffenheim), Torsten Ziegner (Rot-Weiss Erfurt), Giovanni Speranza (Eintracht Frankfurt), Christopher Ihm (Filial del Mainz 05) y Antônio da Silva (SV Wehen). Se veían características distintas entre los que llegaban este año y los jugadores que habitualmente eran elegidos por Klopp; así lo explicaba el director deportivo del club, Christian Heidel: *"Nos gustaba traer futbolistas que fueran altos y rápidos, pero esta vez nos hemos asegurado de que los chicos puedan hacer algo distinto con el balón"*. Es decir que además de la intensidad futbolística y física, esta vez Klopp buscaba algo más, un plus técnico que le hiciera ganar los partidos. Característica que luego lo llevaría a la cima unos años después en Dortmund, con jugadores extremadamente hábiles como Marco Reus, Mario Götze o Ilkay Gündogan.

Volviendo a aquella pretemporada, tras la primera parte de la preparación para el nuevo año, el entrenador, que por entonces tenía

36 años, evaluaba ante al diario *Rhein Zeitung* el trabajo que se estaba realizando y ponía énfasis en el compromiso de los nuevos refuerzos: *"Los jóvenes se presentaron de manera sobresaliente".* Estuvieron alojados en Grassau durante diez días para la puesta a punto desde lo físico, y luego volvieron a Mainz para la última parte del entrenamiento antes del estreno oficial ante Union Berlin: *"Ahora tenemos tres semanas para mejorar y desarrollar nuestras tácticas",* completaba Klopp.

Antes de debutar frente al equipo de la capital alemana, el Mainz cayó ante el Salzburgo austríaco por 3-1 en un amistoso y a pesar de generar algunas preocupaciones había alguien que estaba muy tranquilo: *"Eso fue solo el cansancio, tanto en las piernas como en la cabeza",* evaluó Klopp, para quien la prueba fue enormemente positiva: *"Se trata de afirmarse en situaciones más pequeñas como estas, de lo contrario será aún más difícil más tarde".*

Es sabido que su filosofía hace mucho hincapié en la parte física, y caer en un amistoso luego de lo que fuera una pretemporada agotadora de diez días sin descanso por las montañas de Grassau, tenía bastante sentido. La mente estaba puesta en el inicio ante Union Berlín. De hecho, el comienzo fue muy bueno para el equipo, con victoria por 2-1 sobre la hora con gol de Teinert, el nuevo refuerzo proveniente del Hoffenheim, y en total la racha sin derrotas se extendería por siete partidos. Cuatro victorias (tres de ellas como local) y tres empates lo dejaban mirando a todos desde arriba en la tabla de posiciones con un total de 15 puntos. El encargado de reemplazar al goleador Voronin era Benjamin Auer, quien había sido el jugador más ovacionado aquella tarde en la que el equipo era presentado antes de la temporada que se avecinaba. Una muestra de apoyo a un delantero que tenía la difícil tarea de hacer olvidar al ucraniano.

Sin embargo, las rachas están hechas para cortarse, y luego de siete juegos sin caer, en las siguientes dos fechas se sucedieron dos derrotas, ambas como visitante. Primero se caía el invicto frente a Burghausen por 2-0, y luego se extendía el mal momento ante Bielefeld con un 1-0. La recuperación sería como local en la jornada siguiente, goleando a Energie Cottbus en un estadio que a esa altura era un bastión inexpugnable.

Durante el resto del torneo el camino fue bastante irregular, y tras 29 partidos con un saldo de 9 victorias, 14 empates y 5 derrotas, llegaba una caída muy dura por 3-1 frente al verdugo de hacía un par de temporadas, el Greuther Fürth. Con solo cinco fechas por delante, el Mainz 05 se ubicaba en el octavo lugar de la tabla, el peor puesto desde que había comenzado el torneo, y el tren que terminaba su recorrido en la Bundesliga parecía que, una vez más, no se detendría en Mainz. No solo había que ganar prácticamente todos los partidos, sino que además se dependía de resultados ajenos.

La primera de esas cinco finales era en casa ante el Duisburg, rival que se encontraba un punto por encima. Ese viernes 23 de abril la victoria fue por 4- 1, y el primer gol del partido llegó al segundo minuto de juego. Una muestra de carácter que manifestaba que había reacción, y sobre todo que había que seguir luchando. El diario *Der Spiegel* titulaba: *"El Mainz vuelve a iniciar sesión"*, pero aclaraba que *"las posibilidades de la promoción a la Bundesliga siguen siendo bajas"*. La ilusión se reavivaba después de que, en los partidos del domingo y lunes siguiente, tres de los cuatro rivales directos no pudieran ganar sus correspondientes compromisos.

En la fecha 31 otra sólida victoria por 4-1 ante Lübeck, ahora como visitante, demostraba que la intención de remontar era un hecho. Esta vez, si bien los resultados de los adversarios no le jugaban a favor, el empate de Rot-Weiß Oberhausen dejaba a los de Klopp en el quinto lugar, a solo tres puntos del ascenso.

Un nuevo partido y tercer triunfo al hilo para quedar a dos unidades del Alemannia Aachen, que había vencido a Oberhausen y lo desplazaba de la zona de ascenso. Con solo dos fechas por delante, lo que vendría a continuación sería de locos.

En la penúltima fecha, la 33, como siempre que hay definiciones importantes, los partidos en la lucha por el ascenso se jugarían en el mismo horario. Mainz visitaba a Regensburg que peleaba por no descender y el Aachen recibía al Ahlen que se encontraba en la misma situación. Ambos equipos empataron sus partidos, un penal a los 82 minutos a favor de Ahlen le hubiera dado la posibilidad a los de Klopp de depender de sí mismos en la última jornada, pero Daniel Felgenhauer falló desde los 12 pasos y el Aachen llegaba dos puntos por encima de Mainz. Después de dos campeonatos consecutivos en el cuarto lugar, los fantasmas de quedar en la puerta del objetivo volvían a aparecer, habría que obtener la victoria como local ante Eintracht Trier y esperar que Aachen no rescatara ni siquiera un empate en su visita a Karlsruher SC.

Ese domingo a las 15:00 horas en el Bruchwegstadion no cabía un alfiler. Las 18.700 localidades estaban agotadas y probablemente el número de los presentes en las tribunas era bastante más alto. Las acciones, como ya era costumbre desde que Klopp se asentó en Mainz, comenzaron con el local atacando sin parar. Michael Thurk convirtió muy rápido, pero el gol fue anulado por una posición adelantada. A los 23 minutos del primer tiempo, el mismo Thurk llegó a su gol número doce de la campaña y puso el 1-0 para Mainz, lo que llevó un poco de tranquilidad.

Varios hinchas gritaron un gol en el minuto 42 del primer tiempo, pero el Mainz no había anotado: las noticias llegaban desde la ciudad de Karlsruhe en Baden-Wurtemberg mediante algunas radios encendidas en la tribuna, donde el local convertía el 1-0 y momentáneamente metía a Mainz en la Bundesliga. La sonrisa de Klopp en el banco era indisimulable, incluso aplaudía mientras alentaba a sus jugadores para motivarlos con el gol que recibió el Aachen. La hazaña parecía posible.

A los 20 minutos del segundo tiempo Friedrich marcaba el 2-0 de Mainz tras un centro, y Klopp salía corriendo del banco de suplentes con una sonrisa gigantesca y el puño apretado. Para colmo, solo dos minutos después, nuevamente Thurk sentenciaba las cosas con el 3-0 y se trepaba a la tribuna para abrazarse con los hinchas. Ahora todos los oídos se centraban en lo que ocurría a 150 kilómetros. El trabajo en casa estaba hecho y solo restaba esperar. Christian Heidel, no podía soltar su celular, intentando conseguir información de lo que estaba pasando en Karlsruhe.

Final del partido en Mainz. Todos rezaban en la tribuna, y también en el campo de juego, con Friederich que juntaba las manos y parecía rogar al cielo que el partido terminara en Karlsruhe. Algunos compañeros se acercaban a felicitar a Thurk que no quería saber nada al respecto y les pedía calma con las palmas hacia abajo. Hacía tan solo 363 días, la situación era exactamente la misma y dos goles del Eintracht sobre la hora, le habían quitado el ascenso de las manos. Los fantasmas de la temporada anterior se paseaban por el Bruchwegstadion, y en la tribuna, no quedaban uñas por comer. De repente, final en Karlsruhe y locura total en Mainz. El sonido que toda una ciudad tuvo atragantado por tanto tiempo finalmente podía salir y explotar al grito de *"¡Nos vamos a jugar la Bundesliga!"*. Hacía tan solo un año, quien se sentaba en el césped de ese mismo estadio a llorar, era el presidente Harald Strutz, que ahora casi ni lo tocaba por sus saltos de alegría. En contraste, quien se mostraba entero por aquella época y trataba de levantar a los suyos, era Jürgen Klopp, que ahora no podía parar de llorar.

La invasión del campo de juego por parte de los hinchas fue inmediata, y los héroes de Mainz disfrutaban su momento de gloria. Michael Thurk, que ya había firmado con el Energie Cottbus, se perdería esta nueva aventura recorriendo la Bundesliga: *"Es una situación horrible para mí, no tuve que irme de aquí"*, decía entre llantos. Pero jamás iba a olvidar la ovación que se llevó esa tarde cuando sus compañeros lo alzaron en hombros de cara a todos los hinchas que estaban en el campo de juego alabándolo.

Esa tarde en el Bruchwegstadion, el "You'll never walk alone" rugió como nunca, y el principal responsable del éxito era Jürgen Klopp. Los fanáticos del "05" lo sabían, y durante los festejos dejaron frases para el recuerdo. Uno de ellos resumía el sentir general en estos términos: *"Alguien como él podría convertirse en cualquier cosa ahora en Mainz. Si comienza a hornear pretzels mañana, todos los demás puestos de la ciudad pueden cerrar"*. Otros lo querían postular como intendente: *"No hay duda de que ganaría las elecciones sin problemas"*. Pero el entrenador solo pensaba en su merecido festejo: *"Ahora vamos a cargar gasolina y poner todo de cabeza"*.

Unas horas después, los festejos se mudaron al Staatstheater (teatro estatal) de Mainz, donde Klopp no dudó en tomar el micrófono y gritar: *"¡¡Estamos en la Primera División!!"*, generando la locura de los miles de presentes que corearon su nombre una infinidad de veces durante toda la tarde. Harald Strutz por su parte, mantenía la cabeza un poco más fría y realizaba su análisis: *"Hoy es el resultado de muchos años de trabajo y de desarrollo. Este éxito es bueno para toda la región"*.

El alcalde de la ciudad, Jens Beutel, solo tenía un deseo: *"Un día tan hermoso como el que es hoy, nunca debería desaparecer"*.

El lunes es el día del punto más alto del Carnaval de Mainz, es llamado "Rosenmontag" y los desfiles son acompañados por carrozas, bandas de música, portadores de banderas y guardias de honor que se abren camino a lo largo de una multitud que celebra y baila sin parar. El mismo Rosenmontag había quedado minimizado al ridículo ese año por los festejos que coparon toda la ciudad por la obtención del ascenso unos meses después. La ciudad del carnaval había pasado a ser la ciudad del fútbol. Mientras todos disfrutaban el momento con litros y litros de cerveza, Klopp no saciaba su sed de seguir consiguiendo metas importantes con el club: *"Tenemos muchas ganas de jugar la Bundesliga"*.

Aquella estadía en Bundesliga iba a durar tres años e incluiría una clasificación histórica a la Europa League en 2005. La eliminación iba a estar a cargo del Sevilla, que ese año se quedaría con el título.

Tras haber vivido un cuento de hadas, la temporada siguiente el Mainz volvía a la segunda división. Una campaña pésima en cuanto a los números reflejaba un total de 34 puntos en la misma cantidad de partidos disputados, y la promesa de Klopp era devolver al equipo a la Bundesliga dentro de un año o, caso contrario, dejar su cargo.

Tras no poder alcanzar el objetivo y luego de siete años como entrenador, el ciclo de Jürgen Klopp en Mainz, llegaba a su fin. Dieciocho años fueron los que ligaron al máximo ídolo en la historia de Mainz con la institución y la despedida sería con una fiesta sin precedentes en el mismo lugar donde toda la ciudad había festejado el preciado ascenso cuatro años antes.

Con 40 años, dejaba el club de su vida y comenzaba un mundo totalmente desconocido. Klopp tomaba el micrófono sobre el escenario ante un centenar de miles de personas, y con un llanto que no podía controlar, resumía todas sus emociones en una frase: *"Podré tener más éxito en otro lugar, pero este siempre será el mejor club del mundo"*.

# 2.

## BORUSSIA DORTMUND
## (2008 – 2015)

# 2.1
# LLEGADA A DORTMUND

## "Es un gran honor para mí ser entrenador del BVB"

Tras no poder encauzar el rumbo en Mainz y sin haber logrado cumplir con la promesa de volver a la elite esa temporada, la despedida después de 18 años era un hecho. Pero a tan solo a 200 kilómetros de esa ciudad había un club que necesitaba una profunda reestructuración tras haber vivido la peor crisis de su historia.

El Borussia Dortmund había sufrido una pésima decisión dirigencial el 28 de noviembre de 1999, apenas unos años después de ganar la única Champions League de su historia. Aquel día se aprobó la salida del club a la Bolsa de valores. Es decir, que los 13,5 millones de acciones del Borussia, salían a venderse en la bolsa de Frankfurt, y esto se hacía efectivo el 31 de octubre del 2000.

El presidente Gerd Niebaum festejaba ser el primer club alemán que salía a la Bolsa: *"Es un paso lógico y maduro. Lo celebraremos como si fuera un segundo cumpleaños"*. En principio parecía una decisión acertada y todo iba bien, los buenos resultados deportivos se veían reflejados en las subas del precio de las acciones y lo mismo ocurría de forma inversa. Era una retroalimentación perfecta. Cuando el Dortmund ganó la Bundesliga en 2002 los números eran estratosféricos y el capital ascendió a más de 145 millones de euros. Pero cuando las inversiones comenzaron a ser erróneas y el rendimiento en la cancha comenzó a desmoronarse, se produjo una enorme crisis económica. Los directivos habían tratado de despertar al club con fichajes sobrevaluados. Marcio Amoroso, Tomáš Rosicky, Torsten Frings y Jan Koller sumaban un total de 62 millones de euros. Esa enorme inversión solo hubiera podido ser calificada como buena si los resultados hubieran acompañado, y eso no sucedió.

Al inicio de la temporada 2003/04 el club disponía de una cifra cercana a los 80 millones de euros, pero a mediados del 2004 el balance arrojaba pérdidas por 65 millones, y Niebaum anunciaba una deuda total de 118 millones de euros. El primer gran golpe en lo económico se debía a que el Dortmund se vio privado de los ingresos que le hubiera generado participar de la Champions League de la siguiente temporada, pero no había conseguido la plaza europea en el transcurso de la Bundesliga 2003/04, lo que desencadenó en un desastre financiero en el que Niebaum aparecía como el principal responsable.

Tal fue la presión, que debió dejar el club en noviembre de 2004. Para entonces, aquellas acciones que habían salido al mercado de valores para dar muestra de la innovación del gran Borussia Dortmund habían caído un 80%. Se habían acumulado pérdidas millonarias en dos años consecutivos dejando a una de las instituciones deportivas más grandes de Alemania al borde de desaparecer. Para colmo, el Westfalenstadion (actual Signal Iduna Park) estaba siendo ampliado, lo que representaba otra fuerte pérdida de dinero.

Quien asumiría las riendas de la institución a comienzos de 2005 sería Reinhard Rauball, y su mano derecha, el economista Hans-Joachim Watzke, se encargaría de todas las cuestiones administrativas bajo el título de director ejecutivo. Cuando este último fue entrevistado por el diario español *As* en 2014 explicó cuáles fueron los pasos para la reconstrucción: *"Hubo tres etapas. En la primera se trataba de sobrevivir. Michel Zorc (ídolo del club y actual director deportivo) me ayudó muchísimo. Redujimos de 75 a 24 millones de euros los sueldos del primer equipo. Con eso es difícil tener una plantilla competitiva. Creo que, en el Real Madrid, ningún responsable haría su trabajo con 24 millones de euros por temporada. Después, intentamos durante tres años asentarnos en la mitad de la tabla y no bajar, para así ir reduciendo la deuda."*

Otro paso fundamental fue la sesión en 2005 del nombre del estadio a la aseguradora Signal Iduna Group, por la que actualmente lleva su nombre. Si hay un paso que evitó la quiebra ese mismo año, fue este. La cadena alemana *Deutsche Welle* explicaba la situación: *"El seis veces campeón Borussia Dortmund logra salvarse de la quiebra... por el momento. La junta de accionistas aprobó un concepto de saneamiento y los propietarios del estadio aplazan el pago"*, y continuaba: *"El acuerdo logrado con la sociedad inversora Molsiris, que representa a 5.800 inversores y que tiene un 94% del estadio Westfalen, es un paso clave para poder poner en marcha en plan de saneamiento que ha planteado la cúpula del club y que ya ha sido aprobado por los otros acreedores. El 17 de febrero de este año el Dortmund había propuesto el plan de saneamiento tras reconocer que la situación financiera del club amenazaba su propia existencia".*

Este es un buen momento para aclarar que el mito de que el Bayern Múnich salvó al Dortmund de su desaparición es completamente falso. Uli Hoeness, por entonces presidente del club bávaro, había prestado a Niebaum dos millones de euros con un 8% de interés, pero de nada sirvieron porque el club ya estaba prácticamente en bancarrota. Como más adelante explicó Matthias Dersch, periodista del Ruhr Nachrichten (periódico más importante de la región oeste): *"El BVB es esencial para la ciudad. Si hubiera quebrado en 2005 la ciudad hubiera perdido su identidad. El Dortmund es la pinza que la mantiene unida. No hay ningún sitio en Alemania donde se vea a tanta gente en el día a día con camisetas, banderas y artículos de su equipo",* incluso al salir de la estación central de trenes se puede observar un cartel con la frase "Wir lieben Fussball (vivimos el fútbol)".

Al encaminar las cuestiones financieras más elementales, luego venía lo deportivo, y nuevamente Watzke se lo explicaba al diario As: *"La segunda etapa era construir algo nuevo con un plantel muy joven, pero con mucho talento. Y también, claro, fichar a Klopp en el 2008".*

El técnico ideal estaba en Mainz, y su salida se confirmaba tras no poder lograr el ascenso. Un motivador nato con hambre de triunfar en la Bundesliga y con un plantel de jóvenes al que podría moldear con su idea de juego. El Borussia había encontrado la estabilidad económica que necesitaba para comenzar un proyecto desde cero y Jürgen Klopp era presentado de manera oficial el 23 de mayo de 2008: *"Es un gran honor para mí ser entrenador del BVB",* fueron sus primeras palabras. Luego repitió lo que ya había dicho antes de su visita con el Mainz durante la temporada anterior: *"La tribuna Sur, esa pared amarilla, es lo más impresionante que hay".*

Durante aquella conferencia en el Signal Iduna Park estuvo acompañado tanto por Hans-Jochim Watzke como por Michael Zorc, este último describió la situación de manera muy simple: *"Probó en Mainz que puede liderar un equipo, y también defiende el fútbol de ataque que tanto nos representa"*. Aquel día, Klopp dejaba un mensaje claro sobre el fútbol que iban a observar los hinchas *Borussers*: *"Los juegos de ajedrez nunca han representado a mis equipos, estos partidos aburridos están perdiendo su legitimidad"* y pronosticaba *"un fútbol con pasión que va a satisfacer a la multitud"*.

Se iniciaba un ciclo que iba a marcar para siempre al Borussia Dortmund. Un equipo que había sobrevivido a la mayor crisis de su historia ahora iba a disfrutar de su mejor época. Los siete años que vendrían a continuación serían inolvidables y Jürgen Klopp iba a cumplir su promesa, fútbol con pasión, sobraría. Y la satisfacción de la multitud también diría presente.

## 2.2
## LA REFUNDACIÓN DE UN CLUB

### "Si en mis entrenamientos te entregas al 99%, vas a tener problemas"

La temporada 2010/11 supondría un quiebre determinante en la carrera de Jürgen Klopp. A partir de su primer título como entrenador, iba a cambiar su paradigma en el plano internacional. Pero debieron pasar algunos años hasta que pudo perfeccionar esa máquina que fue el Borussia Dortmund desde el 2010 hasta mediados del 2014. Pequeños conceptos iban siendo añadidos partido a partido, temporada tras temporada hasta conseguir ser reconocido como el arquitecto de una época dorada.

Durante su primer año consiguió el sexto puesto en la Bundesliga. Nada mal teniendo en cuenta la situación ya descripta con la que arribaba al club. Su primera misión era lograr un equipo que se caracterizara por su gran desgaste físico, y allá por el 2008 tenía una premisa con una particular recompensa: cada vez que el equipo completaba 120 kilómetros recorridos durante un partido (en promedio 12 kilómetros por jugador, si no se toma al arquero en la ecuación), se les añadía un día libre en la semana. La revolución debía empezar por lo más básico, correr más que el rival: *"Estos chicos van a tener que trabajar mucho, como nunca. En realidad, si en mis entrenamientos te entregas al 99%, vas a tener problemas".*

En su primer mercado de fichajes, la dirección era clara y se pretendía sumar jugadores muy jóvenes para empezar a moldearlos. Los principales referentes en este sentido, y que luego fueron transitando un nombre en el Borussia Dortmund, eran Neven Subotić (19), Marcel Schmelzer (20) y Felipe Santana (22), a los que se sumaba el retorno de Nuri Sahin (19) tras su préstamo al Feyenoord de Holanda. Si bien ellos cuatro serían pilares importantes en el futuro del equipo, en total se incorporaron trece jugadores, con un promedio de edad de 23 años. Mientras que, por el contrario, entre préstamos y ventas, diecisiete fueron los nombres que dejaron el club, con un promedio de edad de 27. Además, en enero de aquel año se había concretado el préstamo de Mats Hummels desde el Bayern Múnich, por el período de dieciocho meses, y con solo 19 años había llegado al club que lo consagraría de la mano de Klopp. Se estaban plantando las semillas que luego se cosecharían unos años después.

Aquel primer año se pudo observar a la perfección lo que Klopp consideraba el primer paso, un equipo 100% comprometido a correr y a recuperar la pelota lo más rápido posible. Aunque dejaba a la vista muchos problemas a la hora de generar juego, la idea era convencer a un plantel entero de una propuesta basada en el sacrificio y principalmente en la mejora del carácter defensivo, ya que en la última temporada había recibido 62 tantos bajo el mando de Thomas Doll: *"Si un equipo concedió sesenta y dos goles, no es solo la defensa: algo salió mal. Tenemos que defender todos, y con todas nuestras fuerzas"*, comentaba Klopp en su arribo a Dortmund, y de esta forma logró bajar ese alarmante número a 37. Durante esa campaña se pueden rescatar tres grandes partidos. El empate ante el Bayern Múnich en la segunda fecha sería el primero de ellos.

Apenas empezado el camino de Klopp al frente del conjunto aurinegro, había que pasar una complicadísima prueba contra el poderoso Bayern de Jürgen Klinsmann, el cual venía de consagrarse campeón de la última Bundesliga con 76 puntos, 36 más que el Borussia, ubicado en el decimotercer escalón de la tabla.

Una semana antes, el Dortmund comenzó la liga con una victoria por 3-2 en el recinto del siempre difícil Bayer Leverkusen. Los goles del paraguayo Nelson Haedo Valdez, Florian Kringe y Neven Subotić (en su debut) parecían cumplir la máxima que dicta que todo técnico que debuta al frente de un equipo, se lleva los tres puntos. Teniendo en cuenta solo partidos inaugurales en Bundesliga, Klopp perdió en dos de las siete que comenzó al frente del Dortmund, y en ambas cayó justamente ante los de Leverkusen. Las otras cinco, fueron victorias.

Por su parte, en el Bayern Múnich, el histórico Oliver Khan había anunciado su retiro unos meses antes, por lo que su reemplazante para esta temporada sería el joven Michael Rensing, proveniente de las divisiones menores del club. La cinta de capitán pasaba a manos del holandés Mark Van Bommel, que disputaría su tercera temporada en el club muniqués y sería especial protagonista en el primer clásico de Klopp al frente de los *Borussers*.

La idea de Klopp era lastimar al rival con contraataques rápidos, algo que se vería a menudo durante los siguientes años, y que surtió efecto a los ocho minutos de juego, cuando el polaco Jakub Błaszczykowski comandó una contra en la que dejó en el camino a Lahm, jugó una pared con Haedo Valdez y soltó una bomba al ángulo de Rensing. El paraguayo le devolvía el favor a *Kuba* por su asistencia en el partido anterior en Leverkusen.

A partir de allí el orden sería aún más prioridad para el Dortmund, mientras que el Bayern a pesar de tener la pelota solo hacía figuras a los jóvenes Subotić y Hummels en la defensa rival.

Casi veinte minutos después del gol, Mark Van Bommel se iba expulsado tras una doble amarilla y el partido se partía por completo. Parecía una tarde soñada para los locales. Casi sin mediocampo el trámite se volvía de ida y vuelta. Los de Klinsmann con ataques más desordenados, pero también con más vehemencia, y los de Klopp adhiriéndose al plan del contragolpe por los costados con *Kuba* y el egipcio Mohamed Zidan. Sin embargo, para el segundo tiempo, Borowski reemplazó a Klose y media hora después encontraría el gol del empate. A partir de ahí ambos conjuntos parecieron conformarse con el punto y prácticamente no volverían a llegar a los arcos.

Las 80.000 personas que colmaron, como de costumbre, el Signal Iduna Park fueron testigos del primer partido de Jürgen Klopp en el banco del Dortmund, y frente al Bayern Múnich. Ni siquiera imaginaban el camino que aún les quedaba recorrer de la mano del autor de algunas de las mayores alegrías en la historia de "Der Klassiker".

Luego vendrían dos goleadas, ante el Eintracht Frankfurt en la fecha 13 y frente al Colonia en la 27. Ambas contarían con la característica de un Dortmund totalmente dominador del partido, con muchísima frescura entregada por jóvenes que realmente volaban. Los tres principales exponentes de este estilo eran Nuri Sahin, encargado de comenzar los ataques, y tanto *Kuba* Błaszczykowski como el egipcio Zidan, con su velocidad como motor. Por su parte, los encargados de terminar las jugadas eran el suizo Alexander Frei, que sería goleador del equipo con doce tantos y el paraguayo

Nelson Haedo Valdez, quien convertiría siete. A ellos se les sumaba el gran acompañamiento de Zidan, que también llegó a la cifra de siete, pese a actuar más como mediapunta.

A simple vista se observa una gran convergencia de nacionalidades, a los que se les puede sumar al turco Nuri Sahin, el brasileño Felipe Santana o al ghanés Kevin Prince Boateng, solo como ejemplos. En aquella época la Bundesliga estaba en pleno auge de migraciones y los extranjeros superaban en número a los propios alemanes por primera vez desde que se fundó la liga. Según los datos del Observatorio de Jugadores Profesionales de Fútbol (PFPO), hasta ese momento la única liga del futbol europeo en donde esto no había ocurrido era en la alemana, donde los nativos eran mayoría. Sin embargo, desde la 2008/09 había un 50,2% de extranjeros, y en los cinco clubes más importantes el número subía al 54,8%.

Para el siguiente año se concretarían tres compras muy importantes. En primer lugar, se haría uso de la opción de 4,3 millones de euros para quedarse con el pase de Mats Hummels, quien había demostrado que junto con Subotić, podían hacerse cargo de la zaga central a pesar de su corta edad. Lucas Barrios representaba la otra inversión fuerte del equipo a cambio de 4,2 millones de euros. El delantero llegaba desde el Colo-Colo con la escandalosa cifra de 37 goles en 38 partidos en el último año, y su tarea era hacer olvidar a Frei, quien con 30 años se despedía del club a cambio de una cifra similar a la que se pagó por el argentino. Por último, Sven Bender llegaba proveniente del Múnich 1860 por 1,5 millones, y la intención de Klopp era que fuera el futuro dueño de un mediocampo que hasta entonces era tan bien representado por el capitán Sebastian Kehl.

La contratación de Bender era tan importante para Klopp que luego de su debut en septiembre frente al Hannover, y tras improvisar con Hummels como volante central, tomó la decisión de no cederlo a la Selección sub-20, lo que generó bastante bronca en la Federación Alemana. *"En su debut en la Bundesliga el pasado fin de semana demostró que es un jugador valioso para nosotros, y después de la lesión de Sebastian Kehl, no podemos prescindir de esta valiosa alternativa, por lo que decidimos mantenerlo aquí"*, explicó el entrenador.

Desde esa sexta fecha, iba a completar 19 partidos durante el resto de la temporada, y permanecería en el club hasta 2017, cuando pasó al Bayer Leverkusen. Klopp tenía al volante defensivo de sus próximos seis años, y siempre iba a confiar en el alemán. Incluso cuando Weigl se afianzó en el equipo titular en 2015 como una de las grandes promesas del fútbol europeo, iba a seguir utilizando a Bender como rueda de auxilio cuando fuera necesario.

Tras un mal arranque de torneo, en el que al cabo de seis jornadas solo el debut había dejado una victoria, el duro golpe como local al caer 1-0 en el clásico frente a Schalke 04, pareció sacudir al equipo: *"Cualquiera que firme con BVB sabe la importancia de este derbi, y sobre todo de local. Estamos realmente enojados por la derrota"*, contaba un Klopp enardecido.

A partir de entonces, el Dortmund no perdió en sus siguientes doce partidos. El balance, más que positivo, dejaba nueve victorias y un Lucas Barrios determinante que se encargaría de marcar diez goles.

El nuevo refuerzo se estrenaba en la red frente al Mönchengladbach el 3 de octubre de 2009 y alcanzaría los diecinueve tantos en aquella Bundesliga. Una auténtica barbaridad para un delantero que no tenía roce europeo, pero que contaba con la facilidad de un equipo que generaba muchas situaciones y jugaba cada vez mejor. Antes de la llegada del bonaerense, Klopp había dejado claro que Alexander Frei no iba a encajar en sus planes por no tener la capacidad física que su sistema de juego requería. Buscaba un joven con mucha capacidad atlética para poder desarrollar lo que más adelante se conocería como *"gegenpressing"*: *"No comenzamos desde cero, nuestro departamento de exploración está bien informado"*, avisaba el entrenador cuando le preguntaban por el posible reemplazante del delantero suizo. En aquel perfil también encajaba perfectamente un chico de 20 años que era la revelación de la liga polaca en el Lech Poznań, donde llevaba 18 goles en 28 partidos. Un tal Robert Lewandowski ya entraba en la lista de Jürgen Klopp, pero tardaría un año más en mudarse a Dortmund.

Los goles de Barrios alcanzarían para meter al equipo en competencia internacional. Con 57 unidades el Dortmund entraba en la Europa League y quedaba a solo cuatro puntos de alcanzar el tercer puesto, que lo hubiera clasificado para disputar la Champions.

Tras dos años de trabajo, el equipo de Klopp no se parecía en prácticamente nada al que había dejado Thomas Doll. No solo en cuanto a los nombres, los estilos eran completamente distintos. Los únicos sobrevivientes de la derrota ante Wolfburgo en 2008, que sería el último juego con Doll en el banco, eran tres: Mats Hummels, *Kuba* Błaszczykowski y Nelson Haedo Valdez. Ocho nombres del equipo titular habían cambiado, y con ellos la fisionomía absoluta de la escuadra.

Al primer ladrillo de su construcción, que era la parte física, ahora Klopp le había agregado una disciplina táctica que se volvería fácilmente reconocible en toda la carrera del entrenador. En el mediocampo ya podía observarse una gran cantidad de respaldos tras la presión al rival en campo contrario. Durante aquella primera temporada muchas veces el equipo parecía quedar desordenado producto de la intensidad física que intentaba proponer. Con el correr de los partidos el centro de la cancha debía ir funcionando cada vez mejor para conseguir mantenerse juntos en bloque, estrechos y completamente impenetrable. Es cierto, aún no había conseguido la plenitud que luciría en la siguiente temporada, pero tras dos años de transición en los que la crisis institucional se veía cada vez más lejana, ahora era posible, con algunos refuerzos puntuales, desarrollar perfectamente la obra completa.

El principal déficit seguía apareciendo a la hora de atacar. Si bien Lucas Barrios se había ganado su lugar convirtiendo un elevado número de goles, la diferencia de jerarquía con otros equipos continuaba siendo evidente. Y cuando se quiere competir por el título, es necesario un salto de calidad. Para eso iban a llegar algunos nombres fundamentales que marcarían el rumbo del Borussia Dortmund en la temporada 2010/11. En el arco no habría discusión; Roman Weidenfeller continuaría con el número uno en la espalda, y por muchos años. Hummels y Subotić estaban firmes en el fondo. Por izquierda Marcel Schmelzer ya era una fija. El mediocampo se lo repartían Bender (alternando con Kehl) y Nuri Sahin, los primeros con labores más defensivas y el segundo encargado de la distribución y el primer pase limpio. Por los costados, tanto Błaszczykowski como el polifuncional Kevin Großkreutz eran dueños de las bandas. Y tras la salida de Haedo Valdez al Hércules de España, el único delantero que quedaría era el indiscutido Barrios, que en marzo de 2010 había recibido la nacionalidad paraguaya para representar a la selección guaraní en la Copa del Mundo de Sudáfrica.

Con esta radiografía, Klopp tenía claro cuáles eran los cuatro nombres que completarían un once a la altura de luchar por la cima de la Bundesliga. El polaco Lukasz Piszczek sería el nuevo lateral derecho para entregar un mix justo entre defensa férrea y ataques profundos. El japones Shinji Kagawa venía proveniente del Cerezo Osaka para con su movilidad y velocidad darle variantes a un equipo que necesitaba más opciones ofensivas. Desde las juveniles de Dortmund asomaba un joven talento cargado de calidad, Mario Götze. Y finalmente la frutilla del postre: Robert Lewandowski, que hacía tiempo estaba en carpeta, llegaba desde Polonia para descargar toda su artillería. A esta última contratación, Hans-Joachim Watzke la catalogó como *"la compra más difícil"* que lograron, pero finalmente habían podido *"desatar el nudo"*, haciendo referencia a las condiciones que pretendía imponer el Lech Poznań.

La capacidad de Klopp para comunicar y transmitir su mensaje ahora contaba con los mejores intérpretes para llevar adelante su idea. A la propuesta táctica se le añadían un grupo de jóvenes con mucho potencial, que lo seguirían hasta el fin del mundo si fuera necesario.

## 2.3
## LA MÁQUINA AMARILLA VERSIÓN 2010/11

### "Tenemos el mejor equipo de la Bundesliga"

El equipo se había reforzado y el entrenador alemán ya tenía las piezas que necesitaba para acabar con la transición post-crisis. Ahora, restaba revivir el alma de un club ganador.

Los entrenamientos durante la pretemporada mostraban que el esquema continuaría siendo el mismo, pero con los recién llegados incorporándose en el once inicial durante los partidos amistosos. Desde aquella derrota con Schalke 04 en la temporada anterior, el DT fijó el 4-2-3-1 que iba a traerle buenos resultados durante doce fechas consecutivas. A partir de ahí, se adhirió a ese sistema y, salvo en partidos muy puntuales, jamás lo modificó. No había razones para hacerlo. El equipo había encontrado su máximo potencial con esa disposición, y el hecho de sumar nuevos nombres al proyecto no solo le daba más variantes a Klopp, sino que también potenciaba a los que ya estaban. Incluso, la competencia ayudaba a que los titulares no se relajen.

Por otro lado, la clasificación a un torneo internacional tras siete años implicaba una mayor cantidad de partidos durante la temporada, y aunque todavía restaba superar al Qarabağ Agdam de Azerbaiyán en pre-Europa League, el director deportivo Michael Zorc se ilusionaba con el porvenir: *"Tenemos el equipo listo para afrontar la doble competencia. Sería el siguiente paso para nosotros, tanto deportiva como económicamente".* Todo estaba preparado para que el Dortmund continuara en el sendero positivo del "Proyecto Jürgen Klopp".

La temporada 2010/11 comenzó muy bien, con la clasificación a la fase de grupos de la Europa League consumada frente al Qarabag con un resultado global de 5-0, y con la Bundesliga bien encaminada tras cinco victorias y una derrota. La séptima jornada sería testigo de algo que, desde ese momento, se volvería una sana costumbre para el Borussia Dortmund, y principalmente para su DT: vencer al Bayern Múnich.

El 3 de octubre por la tarde, los goles de Nuri Sahin y Lucas Barrios apagarían el tradicional y colorido *Oktoberfest* que se celebra durante septiembre-octubre en tierras bávaras. Las cervezas serían todas para los *Borussers* tras la victoria como local, y en la vereda de enfrente dejaban al Bayern con el peor comienzo de temporada en 36 años. Su director general, Karl-Heinz Rummenigge, estaba exaltado: *"Ahora estamos en la mierda y tenemos que salir de allí otra vez"*, expresó. Y agregó: *"No tengo ningún problema con la palabra crisis"*.

El diario alemán *Zeit*, publicaba en sus páginas las declaraciones de los hinchas del Dortmund tras el golpe: *"Nuestros muchachos sacudieron a Hoeness (presidente del Bayern) y patearon su arrogancia"*. Además, no se cansaban de halagar a su entrenador: *"Klopp fue un golpe de suerte para nosotros. Hay una base de confianza para los hinchas porque persiguió su idea de manera consistente con muchos jugadores jóvenes"*. Tras dos años y algunos meses, se estaba generando una enorme comunión entre todas las partes.

*"No tuvimos prácticamente ninguna posibilidad, pero el primer tiro al arco entró"*, resumía un sonriente Jürgen Klopp en conferencia de prensa luego del partido. Más tarde, realizó un análisis con bastante "kloppismo" en su conclusión: *"En la primera mitad, tuvimos muchos problemas, estamos contentos de que haya terminado 0-0 en el descanso. El Bayern jugó bien y podría haber tomado la delantera. Pero no lo hicieron. Así que lo hicimos en su lugar"*. Por último, tenía algo bien claro, no quería escuchar ninguna pregunta acerca de la posibilidad de ganar la Bundesliga: *"¡No somos idiotas!"*.

Sin embargo, al terminar el partido, decidió quedarse festejando por largo rato con la famosa pared amarilla. Estaba dejando salir toda la tensión que un partido de esas características acumula. Si bien no quería perder de eje que el torneo recién comenzaba, sus saltos como loco frente a la Südtribüne hacían pensar que el propio entrenador se ilusionaba con la actualidad del equipo. Se había iniciado una ola amarilla cargada de optimismo que no podría detener. Su única opción era subirse a esa ola y dejarse llevar.

El estilo de un equipo, casi siempre, refleja el carácter y la personalidad del entrenador. A su vez, los fundamentos que se transmiten pueden ser asimilados en mayor o menor medida por sus dirigidos, y si bien Klopp ya había logrado implantar las ideas principales de su modelo de juego al Borussia Dortmund, si se producían algunos cambios en los nombres, esto podía afectar pequeños detalles de esta manera de jugar. Por ejemplo, no es lo mismo si por las bandas estaban Błaszczykowski y Großkreutz, que si lo hacían Kagawa y Götze. Sin embargo, centrándonos en el estilo con el que el alemán dotó a aquel Borussia Dortmund, es posible remarcar algunos conceptos fundamentales que imponían un reconocible modelo que iba más allá de los nombres propios:

- Presión inmediata tras la pérdida de la pelota.
- Intensidad: el que no corre, no juega.
- Amplitud por las bandas para estirar al rival y encontrar más espacios.
- Movimientos defensivos basados en no permitir el pase interior.
- Triángulos formados por el lateral, el mediocampista y el extremo del mismo lado a la hora de recuperar la pelota, lo que genera una gran superioridad sobre el rival portador del balón.
- Movilidad constante a la hora de atacar y asociaciones para avanzar de manera compacta.
- Esquema flexible y modificable durante el propio partido, dotando a los jugadores de la capacidad de elegir qué es lo mejor para cada situación.
- Búsqueda del tercer jugador en los ataques posicionales para realizar las triangulaciones.
- Pases directos y transiciones veloces.

Al cabo de 17 fechas, justo en la mitad del torneo, las cifras eran extraordinarias. Desde la décima jornada se subiría a la cima de la Bundesliga y jamás soltaría ese primer puesto. En total la estadística acusaba solo dos derrotas, en el debut ante Bayer Leverkusen y en el cierre de la primera ronda frente al Eintracht Frankfurt. Un empate con el Hoffenheim, y las catorce victorias restantes lo dejaban con una considerable diferencia sobre el escolta, Mainz 05. El Dortmund era la escuadra más goleadora (39) y la que había concedido la menor cantidad (10). Pero lo más importante era la solvencia, o la legitimidad con la que se estaban obteniendo esos maravillosos resultados. A la hora de diseccionar minuciosamente las diferentes fases en el accionar *Borusser*, es preciso comenzar por las dos fases principales, la defensa y el ataque, para luego ir desmenuzando cada una de ellas en expresiones más pequeñas.

En defensa se ubicaban tan juntos que daban la sensación de ser completamente imposible convertirles un gol. Los triángulos a la hora de recuperar la pelota son fundamentales para este objetivo porque le daban a todo el equipo un funcionamiento específico. En este proceso el jugador que cobra mayor importancia es el defensor lateral, porque es el que necesita un mayor desplazamiento por la zona que va a cubrir, y luego se sumarían sus dos compañeros con el objetivo de arrinconar al oponente. Si bien es un método utilizado por muchos equipos, en el Borussia Dortmund adquiría una preponderancia aún más significativa, y principalmente tenía la característica de realizarse con una coordinación casi perfecta.

Este sistema de presión tras perdida ya estaba incorporado en los jugadores y se accionaba de manera automática cada vez que la pelota pasaba al adversario. Pero ahora contaban con una ventaja, cada vez había una menor cantidad de pérdidas innecesarias, o bien se los podría llamar "errores no forzados". Al elevar la calidad de la tenencia, había una indudable evolución a nivel defensivo. Durante este tercer año, la principal mejora para recibir menor cantidad de goles era lograr un nivel de posesión superior. Cuando en fase ofensiva el mediocampo se encontraba con los jugadores muy juntos esto generaba un doble beneficio. Primero, que las asociaciones y triangulaciones para lastimar al rival mediante la sucesión de pases resultan mucho más sencillas cuando cada hombre tiene varias opciones. Y segundo, en caso de producirse una perdida, todos los volantes, junto con los defensores que pasaran al ataque, estarían más cerca del lugar donde había que recuperarla.

Cuando el equipo empujaba hacia adelante, los dos hombres ubicados detrás de Lucas Barrios por los costados, en lugar de mantenerse abiertos, intentan cortar a las espaldas de los defensores. Para esto era fundamental el aporte de Kagawa, una pieza extraordinaria a la hora de buscar las diagonales desde los costados, pero que también muchas veces debió desempeñarse por el medio y lo hizo de maravillas. Durante la primera ronda, el juego ofensivo de Dortmund fue dominado por el japonés, quien comenzó muchas veces desde el centro en esa línea de tres volantes y logró un gran aporte goleador. Incluso por ser tan ágil, su movilidad mantenía constantemente a los rivales persiguiéndolo, lo que generaba otros espacios que eran aprovechados por sus compañeros. Su gran nivel mostrado durante la primera ronda, sumado a la tremenda aparición de Mario Götze, hicieron que Klopp deba sentar en el banco a Błaszczykowski durante varios encuentros. La figura de la Bundesliga durante esos primeros cuatro meses provenía del Cerezo Osaka, ¡y por poco más de 2 millones de euros! Pero la lesión del nipón en las semifinales de la Copa Asiática 2011 (que ganó Japón), lo marginó desde aquel 25 de enero para toda la temporada. Por eso nuevamente el entrenador recurrió a *Kuba* para ocupar el carril derecho, otorgándole a Götze un rol central.

Por otro lado, el hecho de que Lukasz Piszczek fuera el lateral derecho del equipo, decía mucho acerca del compromiso de Klopp en ataque. El extremo por derecha del Hertha Berlín, ahora estaba jugando como defensor, lo que ilustraba a la perfección la idea que el entrenador quería transmitir. Tanto él como Marcel Schmelzer por el otro lado eran prácticamente delanteros, y su importancia en el ataque era tanta como cuando había que retroceder.

El dominio *Borusser* prevaleció durante toda la temporada a pesar de los cambios de nombres que se dispusieran. Ese modelo de juego, aunque se viera levemente afectado en cuestión de detalles, no cambiaba el ADN en la estructura. El hecho de tener un estilo tan potente, intenso y físico, con un plantel por debajo de los 26 años (exceptuando a Roman Weidenfeller en el arco) exponía a los rivales con el *Heavy Metal* que tanto le gusta a Jürgen Klopp: *"Si los hinchas quieren emociones, pero tú les ofreces una partida de ajedrez, alguna de las dos partes tendrá que buscarse un estadio nuevo. Los 70.000 que llenan las tribunas no vienen para sentarse a contemplar distraídamente un partido de fútbol. ¡Quieren pasión!".* La conexión emocional entre jugadores, entrenador y fanáticos estaba en pleno auge.

Con respecto al promedio de edad y tras la nueva victoria frente al Bayern en la segunda mitad de la temporada, Klopp dejó una de esas frases que lo hacen tan especial fuera del campo: *"Cuando ganamos acá por última vez (el Borussia Dortmund), la mayoría de mis jugadores todavía estaban siendo amamantados"*. Hacía veinte años que no se conseguía una victoria en Múnich.

Aquel 26 de febrero de 2011 el título de Bundesliga finalmente comenzaba a tomar forma. El 3-1 en el Allianz Arena con un festival de fútbol comandado por Nuri Sahin, autor de un golazo, dejaba una sensación de que el equipo había esquivado la última piedra que lo podía hacer tropezar restando solo diez partidos. La diferencia con el equipo muniqués, que se ubicaba cuarto en la tabla, ahora era de 16 puntos, y su primer perseguidor, a 13 de distancia, era el Leverkusen. Pero esa no era la razón fundamental para creer en la coronación. El Dortmund realmente jugaba a otra cosa, y Klopp esperaba un recital como el que se había observado, frente a un rival plagado de figuras y jerarquía: *"Fue un gran día para nosotros porque este partido se estaba viendo en 198 países. Queríamos que fuera un juego especial y lo logramos. Estoy extremadamente feliz"*.

Nuevamente, los periódicos alemanes se cargaron de títulos contra los de Múnich. *Der Spiegel* publicaba que *"El BVB humilla al Bayern"*, mientras que *Kicker* remarcaba la soberbia actuación del turco: *"Sahin causa terror en Múnich"*.

Si antes el japonés Shinji Kagawa había sido la figura de la primera mitad de la temporada, en el balance general no hubo punto más alto que Nuri Sahin. En buena forma, el turco era un futbolista sensacional, y durante ese año en especial, su rendimiento estaba en esplendor. Todas las cosas buenas que generaba el equipo en ataque nacían de su pie izquierdo. Estaba hecho para jugar en Dortmund. A aquel partido determinante se sumó la función que había brindado frente al Hannover unos meses antes, cuando entre su exactitud para jugar en corto y su precisión para buscar pases largos justo donde sus compañeros necesitan la pelota, terminó por coronar un partidazo.

Desde aquel tiempo en el que Klopp llegó a Dortmund quedó demostrado que, si se le da a un maestro muy capacitado la posibilidad de desarrollar a un grupo de jugadores jóvenes con la seguridad de que permanecerán con él durante varios años, y sin la presión inmediata de transformar las buenas actuaciones en títulos, los equipos como el Borussia Dortmund de la temporada 2010/11 pueden surgir. Si el rumbo es claro y todos están alineados detrás del proyecto, no importan las diferencias económicas con el resto de los competidores. Las ideas claras, combinadas con la disciplina táctica y la preparación física, siempre pueden llegar a buen puerto si el conductor logra transmitir credibilidad.

Pese a esto, aún nada estaba definido, y Klopp seguía intentando mantener a todos con los pies sobre la tierra: *"Falta mucho para terminar. A diferencia del Bayern, no tenemos experiencia en la pelea por el campeonato".* Pero el que no podía resistir la tentación de irse de boca, era Kevin Großkreutz: *"Tenemos el mejor equipo de la Bundesliga, lo hemos demostrado de manera impresionante"*, y tenía razón. Había que coronar, con el título de Bundesliga en las manos, la increíble temporada que había puesto a Dortmund en el centro del fútbol europeo.

## 2.4
## LA LOCURA COMO BANDERA

### "Siempre me aterrorizo
### cuando veo imágenes mías en la televisión"

Esta confesión que Klopp soltó en 2011 luego de enfrentar al Hamburgo puede ser utilizada para describir decenas de momentos que vivió el entrenador a lo largo de su carrera. Por ejemplo, cuando recién comenzaba a dirigir en Mainz 05 sufrió la primera expulsión como DT tras volver loco al cuarto árbitro. Tiempo después admitió por qué le mostraron la tarjeta roja: *"Todavía estoy algo orgulloso de aquella expulsión, solo de aquella, no de las otras. Me acerqué al cuarto árbitro y le dije: '¿Cuántos errores pueden cometer? Si son 15 solo les queda uno más'".*

También aparece una imagen similar aquella vez cuando dirigía al Dortmund por Champions League en 2013: el gol que convirtió el Napoli mientras Subotić estaba fuera de la cancha por una pequeña mancha de sangre, desquició al alemán. El rostro desencajado, los dientes apretados y un empujón al cuarto árbitro incluido, lo mostraron como un demente ante los ojos del mundo: *"Cambiaría eso si pudiera. Me gustaría ser más tranquilo. Esto de la cara… No sé por qué pasa. Siempre aprieto los dientes. Cuando veo un nene pequeño también aprieto los dientes. Resulta horroroso, el nene empieza a llorar y tengo que irme. Con los árbitros, es parecido. Pero cuando estoy exultante de alegría tengo un aspecto muy similar. A veces me da miedo esa cara, pero la conozco desde hace 45 años. Se sobrelleva".*

El hecho de mostrar tanta autenticidad no puede ser visto como algo negativo, y es que verdaderamente así lo siente. Su frase acerca de que el fútbol que le gusta es aquel donde *"todos terminan con la cara embarrada, se van a casa y después no pueden jugar durante semanas",* es la clásica redundancia de cómo él mismo termina los partidos, pero del lado de afuera. Lo vive como realmente lo siente.

Si la victoria frente al Bayern fue el empujón fundamental para comenzar a creer que el título de Bundesliga era posible, el empate que se logró en Hamburgo apenas un mes después fue el envión anímico definitivo. Durante aquella jornada número 29 Klopp decidió colocar como titulares tanto a Lewandowski como a Lucas Barrios. Con Götze sobre el sector derecho y Großkreutz en la izquierda, el polaco jugaría en un rol que lo ubicaba justo detrás del argentino. Quien quedaba relegado en el banco de suplentes iba a ser el héroe de la noche, *Kuba* Blaszczykowski.

En la vereda de enfrente, el Hamburgo venía de una seguidilla de cuatro entrenadores consecutivos sin enderezar el camino. El interino Michael Oenning había quedado al mando tras la dimisión de Armin Veh luego de caer 6-0 frente al Bayern Múnich un par de semanas antes. Luego de esa goleada, Oenning tomó la dirección del equipo y consiguió vencer por 6-2 al Colonia. Con semejante resultado, fue ratificado como entrenador y Jürgen Klopp le brindaba su apoyo antes del duelo con el Borussia Dortmund: *"Le deseo al Hamburgo lo mejor y que por una vez tengan la mano firme en la decisión del entrenador. Oenning es el indicado. Si se le permite desarrollar un equipo, pueden jugar al fútbol como nosotros".*

El viaje a Hamburgo representaba un gran desafío. Tras un buen primer cuarto de hora, el Dortmund cada vez se metía más contra su propio arco. La presión del local lo obligaba, y ni Nuri Sahin ni Bender podían sostener la pelota. A los 38 del primer tiempo, el holandés Ruud van Nistelrooy convirtió el penal que le daba la ventaja y dos minutos más tarde Weidenfeller salvó espectacularmente una volea de Ben-Hatira. Lewandowski no se notaba cómodo en la posición de creador, y tanto Götze como Großkreutz no podían explotar los costados. El complemento arrancó de igual modo, hasta que a los 62' Klopp movió el banco: Lewandowski dejaba la cancha por su compatriota Błaszczykowski. El polaco se movería a la derecha y Götze asumía el centro del ataque, detrás de Barrios. Pero el plan parecía arruinarse unos minutos después cuando el argentino sentía una molestia muscular y tenía que dejar la cancha. El panorama era totalmente oscuro. Sin un juego fluido ahora tampoco quedaba en el campo ningún centrodelantero con oficio goleador. Mohamed Zidan ingresaba para reemplazar a Barrios y se ubicaba como el hombre más adelantado del Dortmund.

A falta de cinco minutos, Hummels era un delantero más y no salía del área rival. Hasta que a los 91' Schmelzer lanzó un centro flotado, Patrick Owomoyela (que había ingresado por Bender) anticipó al propio Hummels con un cabezazo y la pelota le quedó en los pies a *Kuba*. El polaco le rompió el arco a Frank Rost y el entrenador *Borusser* desataba completamente su delirio.

Hasta Roman Weidenfeller llegó hasta el córner del otro lado de la cancha para sumarse al festejo de sus compañeros. Klopp, por su parte, dejaría una de las imágenes más recordadas en sus años en Dortmund: una corrida de 30 metros lanzando puñetazos al aire con la cara transformada. *"Siempre estoy aterrorizado cuando veo esas imágenes mías en la televisión. Probablemente nunca me acostumbre. Pero si estás tan lleno de energía al costado del campo de juego, la alegría también tiene que salir"*, se justificaba. No era para menos, el Borussia recuperaba un punto fundamental para mantener la distancia con el Bayern Múnich que había igualado en Núremberg.

Klopp sabía que había fallado en el planteo y al final del partido se acercó a la tribuna señalando a sus jugadores como un gesto de reconocimiento al esfuerzo que habían realizado: *"Hoy casi todo lo que podía salir mal salió mal. Pero los muchachos siguen haciéndolo"*.

Al otro día los medios alemanes le daban el mismo espacio al análisis del partido que a la imagen que dejaba el técnico en el epílogo. Hasta Mats Hummels se sentía motivado por la reacción después del gol: *"Es sensacional lo que hizo nuestro entrenador. Estas son escenas que nos empujan aún más y le dan a la liga un toque especial"*. Sin embargo, no todo eran buenas noticias: Barrios se iba a perder los siguientes dos compromisos por una distensión muscular. La posibilidad de que Lewandowski comande el ataque pasaba a ser prácticamente una obligación.

Otro que había jugado un partido inolvidable era Kevin Großkreutz, que fue abrazado fervorosamente por Klopp al final. Nadie corrió como él durante esa temporada, en promedio 13,5 kilómetros por juego, y además nadie sentía al club como él. A los cuatro años, su padre lo había llevado al Westfalenstadion por primera vez, y para la campaña siguiente ya estuvo presente en la mitad de los encuentros. *"Si no jugara para el Borussia, todavía estaría parado en la Südtribüne con otras 25.000 personas"*, confiesa. Si bien a mediados de 2010 había comenzado la temporada con el pelo muy corto, hacía varios meses que su promesa era no cortárselo hasta que ganaran la Bundesliga.

Dicen que los equipos se parecen a sus entrenadores, y probablemente esta, en especial, era la obra definitiva para corroborar la máxima. Con la locura como bandera, y la energía como motor, el Borussia Dortmund buscaría a fines de abril su primera Bundesliga después de nueve años.

## 2.5
## CAMPEÓN DE LA BUNDESLIGA 2010/11

### "No recuerdo absolutamente nada de aquella noche"

El Signal Iduna Park estaba a tope. 80.000 hinchas esperaban, y necesitaban, ser campeones de la Bundesliga después de tanto tiempo. La ansiedad se respiraba en el ambiente y había sensaciones de que un resultado favorable al Colonia, frente al escolta Bayern Leverkusen, era posible para terminar con la liga a falta de dos jornadas.

Los goles de Barrios y Lewandowski para vencer al Núremberg aquel 30 de abril eran la última pincelada para la victoria de un proyecto que había comenzado hacía tres años. Ambos goles llegaron en el primer tiempo y, como habitualmente le sucede a Jürgen Klopp cuando define cosas importantes, durante el complemento todos los oídos estaban esperando las novedades desde otro estadio. A los 68 minutos de juego, el Westfallestadion estalló con el grito de gol del esloveno Novakovic, que adelantaba 1-0 al Colonia, y unos segundos después la propia voz del estadio confirmaba la noticia. A diez minutos del final se concretaba la proeza con el otro gol de Novakovic y el 2-0 que sentenciaba la temporada a 90 kilómetros de distancia: *"No me mantuve al corriente de lo que ocurría en el partido del Bayer Leverkusen. Este equipo ha estado extraordinario, cumplió con un gran objetivo en esta temporada"*, afirmaba el entrenador que estaba sorprendentemente tranquilo tras el final.

Con seis puntos en juego, el Dortmund había conseguido estirar a ocho su ventaja, lo que lo convertía en el nuevo campeón de la Bundesliga. Un equipo joven, con un promedio de edad bajísimo, se había animado a desplegar el fútbol más eléctrico de todo el torneo alemán. Y esto tenía un absoluto responsable: Jürgen Klopp. *"Me cuesta encontrar las palabras para describir lo que han logrado estos muchachos. Es un gran placer estar en este equipo, entrenarse y jugar juntos, es una experiencia única"*, añadió el entrenador.

La clave de ese equipo durante la temporada fue la regularidad con la que se manejó. Prácticamente no tuvo partidos flojos. En una campaña tan larga es difícil sostener un nivel tan constante y no caer en las dudas tras cualquier traspié. Porque esos resultados adversos estuvieron, y sin embargo el plantel no se permitió entrar en rachas negativas. Y por supuesto que finalizar la primera ronda con diez puntos de ventaja sobre el segundo permite algunos privilegios. La derrota con el Hoffenheim a la que la siguió un empate con el Mainz 05, pudo haber sido el comienzo del fin. Pero lejos de eso, atrás vino una goleada por 4-1 al Hannover. Esa es una perfecta descripción para un equipo que se rehízo ante la adversidad sin renunciar a sus ideas, y sin entrar en la desesperación. Así lo explicaba Kevin Großkreutz: *"Me han preguntado mucho en los últimos días cuál fue el momento en que me di cuenta de que podíamos convertirnos en campeones. Creo que fue el 26 de febrero, cuando le ganamos 3-1 al Bayern Múnich, ese fue un gran juego nuestro. Dominamos al Bayern en su estadio. Puede sonar gracioso, pero desde ese día nosotros realmente no tuvimos dudas de que íbamos a lograrlo. Incluso después de la derrota en Hoffenheim, siempre supimos que estaba en nuestras manos".*

En 2019 a Mats Hummels le formularon la misma pregunta, y marcó otro partido como el punto de inflexión: *"Mirando hacia atrás, el primer juego de la segunda mitad de la temporada, cuando estábamos de visita en Leverkusen, que estaban justo detrás de nosotros en la tabla, y les ganamos 3-1, marcamos los tres goles en cinco minutos. Fue una sensación especial, fue cuando sentimos que estábamos realmente listos para quedarnos con el título".*

Al día siguiente de ser campeones, los festejos continuaron en el centro de la ciudad, y unas 400.000 personas se acercaron para gritar por el Dortmund. Pero Klopp llegó algo retrasado debido a que su noche había terminado un poco más tarde que la de los demás, y recién en 2019 se atrevió a contar la increíble historia que explica que fue lo que pasó: *"No recuerdo mucho que tenga sentido. Estaba realmente borracho, algo que pudo notarse en algunas entrevistas. Pero me acuerdo de una cosa, y no estoy seguro de si se lo he dicho antes a alguien. Me desperté en un camión dentro de un garaje. Estaba solo. Lo recuerdo, pero no tengo ni idea de lo que pasó las horas anteriores".* Y continuó: *"Luego vi una silueta de una persona, así que le silbé y vi que ralentizaba el paso. Era (el directivo) Hans-Joachim Watzke, y nosotros dos éramos las únicas personas en un enorme patio que parecía una sala de fábrica".*

Watzke, añade que *"Jürgen estaba acabado, siempre se divertía con los más duros de todos".*

Tenían que llegar a los festejos oficiales que el club había organizado y que incluían un desfile por toda la ciudad, pero no pasaban autos por esa zona. Hasta que por fin pudieron detener a una camioneta. El conductor era un turco que se negaba a llevarlos, *"así que Aki (Watzke) sacó 200 euros y lo convenció al instante"*, contó Klopp. *"Aki se sentó delante y yo atrás, me quedé dormido y recuerdo que mi cabeza golpeaba contra el costado. Oía unos sonidos extraños, y pensé que lo había soñado. Pero no, la parte de atrás estaba llena de pollos".*

Dejando de lado las condiciones en la que llegaron, lo importante es que estuvieron presentes antes de que la caravana se iniciara y cientos de miles de personas se agruparon para abrazar a un equipo que los representaba al 100%. Klopp había prometido no solo ganar, sino también sentir. Y toda Dortmund sentía orgullo por haber sumado la séptima Bundesliga de su historia, pero sobre todo porque el "cómo" representaba aún más que el "qué".

Con el trofeo en las vitrinas del club, al año siguiente la vara quedaba alta. Ya no serían los jóvenes que se convirtieron en la revelación del campeonato, ahora eran los actuales dueños de la liga y deberían defenderla como tales. Sumado a esto, nuevamente la música de la Champions League iba a sonar en Dortmund, y Klopp ya estaba calentando motores: *"No nos pondremos ningún límite. Estaremos muy enfocados y jugaremos con muchas ganas y pasión".* Sin embargo el equipo perdía a un jugador fundamental, el turco Nuri Sahin, la indiscutible figura de la temporada se iba a jugar al Real Madrid. Y si bien el entrenador iba a reemplazarlo con un crack del Núremberg que ya tenía observado hace tiempo, advertía: *"Quien quiera jugar en el Borussia, tiene que demostrar una pasión y un compromiso extraordinarios, y además debe ponerse al servicio del equipo. Simplemente tiene que vivir el fútbol del BVB".*

Nuevamente la pasión aparecía en el vocabulario de Klopp. Como hacía tres años, cuando el 23 de mayo del 2008, había prometido satisfacer a la multitud con ese tipo de fútbol que tan bien los representó.

## 2.6
# ILKAY GÜNDOGAN: EL MOTOR TURCO-ALEMÁN

### "Ilkay no deja de sorprendernos a todos"

Si se parte de la premisa de que Jürgen Klopp es el director de la maravillosa obra que fue el Borussia Dortmund entre 2010 y 2014, vale señalar que el mediocentro con ascendencia turca fue uno de sus protagonistas principales.

El volante nacido en Gelsenkirchen, una ciudad situada en el estado alemán de Renania del Norte, y más concretamente en la zona norte de la región del Ruhr, comenzó su carrera en las divisiones menores del SV Hessler 06, que funciona como una especie de filial del Schalke 04. Paradójicamente, el histórico rival del equipo que luego lo vería vestirse de amarillo y negro para mostrar su mejor versión. Tras un breve paso por el VfL Bochum y unos pocos minutos de juego en la segunda división regional, en 2009 pegó el primer salto en su carrera. Con apenas dieciocho años se convertiría en refuerzo y pieza clave del FC Núremberg, donde un total de cincuenta partidos y siete goles lograron el interés de los grandes tanques de la Bundesliga. Su capacidad de conducción, los pases precisos y el brillante entendimiento del juego llamaron la atención, en especial, de Jürgen Klopp, quien en mayo de 2011 consiguió fichar al que por cuatro años sería su director de orquesta. La carga era bastante pesada, ya que debía hacer olvidar al turco Nuri Sahin, quien se iba a Madrid con el premio de mejor jugador de la Bundesliga 2010/11, entregado por la revista *Kicker*.

El debut en el equipo *Borusser* no se dio en las mejores circunstancias, ya que fue en la derrota por penales frente al Schalke 04 en la Supercopa alemana 2011, luego de empatar 0-0.

A pesar del comienzo fallido, las pinceladas del futbolista alemán llegaban al equipo de Klopp para quedarse por largo rato, con un contrato hasta 2015. No por nada el periódico catalán *Mundo Deportivo* lo caracterizó como el *"Un mediocentro con mente de mediapunta"*, y es que más allá de su capacidad técnica con la pelota en los pies, es un futbolista dotado de una gran capacidad física que le daba la posibilidad a Klopp de montar un esquema con ese doble pívot que tanto éxito le había traído en el pasado. Generalmente era acompañado por un volante más dedicado a la marca, como Sebastian Kehl o Sven Bender, lo que le permitía ser el segundo responsable de la recuperación a la hora de defender, pero el principal encargado de dar el primer pase para que la maquinaria comenzara a funcionar en ataque. Luego, tener a valores como Reus, Götze, Kagawa o Lewandowski, facilitaba las cosas.

La combinación de cualidades es extraordinaria. Cuando tiene la pelota puede gambetear al adversario, generando que otro le salga al corte y en ese momento, lee perfectamente lo que pide la jugada y aprovecha el espacio dejado por el rival para colocar el pase correcto. Sin ser un clásico enganche, tiene muchas de las características de ese puesto por ser un organizador del juego.

Además de un maravilloso palmarés que incluye una Bundesliga, una Copa alemana (la tradicional DFB-Pokal) y dos Supercopas alemanas frente al Bayern Múnich, Gündogan dejó en la retina del futbolero varios momentos para recordar. En su primera temporada en el equipo de Klopp sostuvo un nivel altísimo, pero debía rotar bastante, sobre todo con jugadores como Kevin Großkreutz, un joven Ivan Perišić que llegaba procedente del Brujas de Bélgica, y también con *Kuba* Błaszczykowski. Si bien *a priori* todos muestran características diferentes, muchas veces eran elegidos por el entrenador para comenzar el partido dependiendo de la organización táctica planificada.

*"Llegué al Dortmund desde un club relativamente pequeño y fue complicado encontrar un sitio entre los once durante los seis primeros meses. Sinceramente, era tímido y no estaba preparado para ciertas cosas, pero gracias a Jürgen, mejoré"*, recordó Gündoğan una vez afianzado en el Manchester City de *Pep* Guardiola.

En esa primera Bundesliga vestido de amarillo logró el título que sería el segundo consecutivo para el club, completó un total de veintiocho partidos, convirtió tres goles y dio tres asistencias. Con ese nivel mostrado, el interés de la Selección alemana no se hizo esperar… lo mismo que el de la Selección turca.

Gündoğan tiene nacionalidad teutona y turca gracias a sus padres que emigraron hacia Gelsenkirchen en 1979 motivados por el abuelo de Ilkay, quien había tenido mucho éxito trabajando en la minería. Este barrio en aquella época era muy popular para los inmigrantes, e incluso allí también vivieron otros talentos que luego nutrirían el fútbol alemán como Mesut Özil y Leroy Sané, de ascendencias turcas y africanas respectivamente. La posibilidad de jugar tanto para Alemania como para Turquía estaba abierta para el joven talento que recién llegaba a la elite del fútbol germano: *"Ha sido una de las decisiones más difíciles de mi carrera. Crecí en Alemania y estudié ahí. Además, empecé a jugar fútbol en este país. Dos días después de que Alemania me convocara a la selección, Turquía también lo hizo. Me decidí por Alemania y entonces me llamaron para jugar contra Bélgica en mi primer partido"*, declaró el mediocampista a la cadena turca *NTVSpor*.

El debut se produjo el 11 de octubre del 2011, cuando a los 84 minutos de juego reemplazó al histórico Philipp Lahm, en la victoria 3-1 sobre los belgas por la Clasificación para la Eurocopa 2012.

Ya en la siguiente temporada, Gündoğan se convertiría en pieza fundamental del engranaje de Klopp, y a mediados del 2013 se metía en la final de la Champions League donde sería derrotado por el Bayern Múnich.

El nivel mostrado durante ese año sería de ensueño para los de Dortmund y el mediocentro se transformó en el máximo exponente del fútbol de presión alta que pretendía Klopp, con transiciones veloces a la hora de recuperar la pelota y con un juego de intensidad física que era comandado por su hombre todoterreno. Si bien la temporada no pudo cerrarse con el broche dorado en la final de Wembley, fue absolutamente consagratoria para valores como Gündoğan, Reus, Götze, Hummels y Lewandowski, quienes partiendo de un juego vistoso y de un modelo basado en el toque de pelota constante tras una recuperación rápida de la misma, se posicionaron en el paladar de los amantes del fútbol bien jugado.

A la derrota en la final de la Champions 2012/13 a manos del Bayern, en la cual Gündoğan convirtió de penal el transitorio 1-1, la siguió la Supercopa alemana ganada ante el mismo rival por 4-2 apenas unos meses después, con un golazo de Ilkay para el 3-1. El turco-alemán recibió el pase de Błaszczykowski, encaró en diagonal de derecha a izquierda, y casi entrando al área frenó en seco con un enganche de taco que hizo pasar de largo a Müller (ese día colocado por Guardiola como interior) para quedar de frente al arco y con una rosca magnifica definir al segundo palo de Tom Starke.

*"El Real Madrid presentó una oferta por mí, pero mi club la rechazó. En ese momento todavía tenía un contrato de dos temporadas más. Pero, además, mi lesión lo destrozó todo. No pude jugar en 14 meses", se lamentó Ilkay.* Como ese año fue soñado, el siguiente sería una total pesadilla para el mediocampista. Una grave lesión en la espalda le dejó jugar tan solo tres partidos en todo el año, lo que lo privó, además, de disputar la Copa del Mundo en Brasil, donde Alemania se consagró campeón. *"Me sentía como un abuelo de 90 años, me costaba mucho levantarme de la cama",* ilustró.

Con su continuidad como futbolista en duda, pudo recuperarse y volver a jugar tras 430 días, justo a tiempo para rescatar a un Borussia Dortmund que había comenzado muy mal la temporada 2014/2015 y que llevaba casi media Bundesliga en los puestos de descenso. La enorme capacidad de Gündogan para pisar el área rival fue otro argumento que lo posicionó nuevamente en el centro de las miradas del fútbol europeo, en una época en la que la escena es dominada por el mediocampista *"box to box"*, un término surgido de los videojuegos para esos jugadores que se mueven de área a área, buenos tanto ofensiva como defensivamente, y muy equilibrados. Una clara muestra de esto es el cabezazo dentro del área chica frente al Hoffenheim en diciembre de 2014, tras un centro de Aubameyang al segundo palo, y que provocó la locura de Klopp en el banco de suplentes. O su gol frente al Stuttgart unos meses después, cuando comenzó recibiendo un pase apenas delante de la mitad de cancha y tras una buena combinación con Reus y Kagawa finalizó cara a cara con el arquero y definió al primer palo. *Gunny* estaba de vuelta, y en su mejor versión. Mientras su nivel iba en aumento, también crecían sus ganas de pasar a un equipo top de Europa. Guardiola recién llegaba al Manchester City y comenzaba a construir su equipo con absoluta libertad económica para contratar prácticamente lo que quisiera. Pero otra lesión lo marginaría del rectángulo verde durante un largo tiempo, una dislocación de rotula de su rodilla derecha lo dejaría sin Eurocopa 2016 con la selección alemana.

Pero esta vez Guardiola, que ya se había quedado con las ganas de tenerlo en el Barcelona para ser relevo de Xavi e Iniesta, insistió por su contratación a pesar de estar lesionado, y así fue como llegó al Manchester City a cambio de 26 millones de euros, recién operado. De esta forma terminaba la relación entre uno de los mejores Borussia Dortmund y su emblema dentro de la cancha. El principal protagonista en la obra de Jürgen Klopp seguiría otro camino: *"Fueron cuatro años fantásticos. Ganamos muchas cosas juntos y pasamos por muchas experiencias. También tuvimos nuestros malos momentos. Es un entrenador fantástico, capaz de motivar a los jugadores para cada partido, sea un amistoso o la final de la Liga de Campeones. Es un gran tipo que sabe tratar a sus jugadores".*

Lo que ninguno de los dos sabía aún es que el destino los volvería a cruzar, pero esta vez como rivales, en otra liga, durante otra película, y con diferente guión.

## 2.7
## BICAMPEÓN DE LA BUNDESLIGA 2011/12

### "LO QUE HA LOGRADO ESTE EQUIPO
### ES UNA LOCURA"

La pretemporada del campeón había sido algo irregular pero no dejaba de ser una puesta a punto desde lo físico para un año en el que aparecía un torneo tan especial para los hinchas Borussers, la UEFA Champions League volvía a pasar por Dortmund y el objetivo era tener una buena participación internacional. Los empates frente al Lech Poznań y al FC Zürich, la goleada ante St. Gallen y una derrota frente a Polonia Varsovia, daban cierre a los primeros partidos en el verano europeo, período en el que se sumaban al plantel dos apellidos que serían fundamentales en el andar del equipo. Gündogan y Perišić llegaban para reforzar el mediocampo y el precio de ambos jugadores, sumados, daba como resultado los 10 millones de euros que el Real Madrid había pagado por Nuri Sahin.

Si por algo se caracterizó el camino de Klopp en el Borussia Dortmund fue por el buen ojo a la hora de contratar jugadores jóvenes para hacerlos explotar y venderlos a precios altísimos. Ilkay Gündogan e Ivan Perišić no iban a ser la excepción, y el entrenador alemán tiempo después explicaba su fórmula del éxito: *"Cuando ficho a un futbolista le digo que, como mínimo, el 50% de su éxito es mi responsabilidad, y el 50% suya. Y, además, siempre sostengo que nunca estoy seguro de si un jugador es un crack hasta que no sé si es buen o mal tipo, puede ser un genio, pero si solo me ayuda tres veces al año y en el resto de los partidos, me crea problemas... Y pongo el ejemplo de Cristiano Ronaldo o Leo Messi. Cristiano, por ejemplo, fascina a todos, pero estoy seguro de que luego trabaja más duro que nadie".*

Con la mira puesta en la Champions la idea era no descuidar la Bundesliga para poder repetir el título. El último equipo que había podido ganar dos de forma consecutivas había sido el Bayern en las temporadas 2004/05 y 2005/06. Además, desde la campaña

1999/2000 Borussia Dortmund, Werder Bremen, Stuttgart y Wolfburgo se alternaron para cortar la hegemonía del Bayern pero nunca pudieron volver a consolidarse como campeones debido al poderío económico que representaban los bávaros y su capacidad para resurgir. Por eso este año los de Klopp se encontraban ante la chance de revolucionar la historia reciente. Un bicampeonato en Bundesliga representaba la posibilidad de reinventarse y de demostrar que la anterior temporada lejos estaba de haber sido un milagro futbolero.

El primer golpe, sin embargo, vendría de la mano del clásico rival. La definición de la Supercopa Alemana frente al Schalke 04, enfrentaba al ganador del torneo alemán con el ganador de la DFB Pokal. El clásico del Rhur volvía a la primera plana y el Schalke quería revancha del título que la temporada anterior, casi en la misma fecha, se le había escapado frente al Bayern Múnich. El final 0-0 mostraba un injusto empate para los de Klopp que parecía que nunca habían terminado la temporada precedente. Con mucho ritmo y velocidad, el Dortmund, dominó de principio a fin. Tiros en los palos, un mano a mano fallado por Lewandowski y la enorme figura del arquero Ralf Fährmann sostuvieron la igualdad que luego el Schalke tradujo en trofeo en la tanda de penales.

El inicio de campaña iba a ser catastrófico desde todo punto de vista. En el plano internacional el Borussia no solo se quedó en la fase de grupos, sino que apenas ganó un partido, como local y ante el Olympiakos de Grecia. Dos derrotas frente a Olympique de Marsella, una ante Arsenal y la restante frente al conjunto griego lo ubicaron último del grupo con cuatro puntos. No solo eso, sino que además correr desde atrás durante toda la Champions y la necesidad de clasificar a la siguiente ronda los había desenfocado de la Bundesliga. En los primeros seis partidos solo ganaron dos veces, y el Bayern se alejaba hasta llegar hasta los ocho puntos de diferencia. La proyección de liga no era de lo más favorable y Klopp quería terminar con la racha para recuperar terreno: *"Estas cosas pueden suceder, pero no deben suceder"*. Y añadió que el Bayern parecía *"el Usain Bolt de la Bundesliga"*.

La derrota ante el Hannover el 18 de septiembre del 2011, en la jornada número seis, sería la última de toda la temporada en Bundesliga. La victoria que haría el click para encaminar el título sería, casualmente, en la casa de Klopp frente al Mainz 05. Desde aquella séptima fecha llegarían siete triunfos en ocho partidos, con dos goleadas espectaculares frente a Ausburgo y Colonia. Pero si algo provocó el quiebre definitivo para pensar que repetir el título era posible, fue la victoria como visitante frente al Bayern con el gol de Mario Götze.

Aquel triunfo en Múnich era el empujón que el equipo necesitaba para remontar la historia, y como ilustró el arquero Oliver Kahn, *"hizo que el Bayern comenzara a pensar demasiado"*. Definitivamente la escuadra de Klopp ya había retomado el ritmo que le había sacado el hecho de pensar tanto en la Champions. Hummels era la voz del equipo con solo 23 años. Kagawa era una máquina de generar situaciones. Lewandowski ya había entrado en racha. En la fiesta solo faltaba que Gündogan haga olvidar a Nuri Sahin, pero eso llegaría en la segunda mitad de la temporada. Y si alguien estaba en un nivel superlativo, era Mario Götze, quien ya se había convertido en la gran promesa del fútbol alemán.

El Borussia Dortmund ya se parecía mucho más al equipo que había sido y la racha de resultados positivos solo iba a acrecentarse. Aquella victoria frente al Bayern representaba la tercera de forma consecutiva de Klopp ante los bávaros. Y en la segunda mitad del torneo llegaría la cuarta. Una paternidad moderna había nacido y parecía que el entrenador tenía el antídoto para combatir a las figuras de Múnich. La fórmula constaba de que el conjunto venza a las individualidades y poco a poco la forma en la que hacía funcionar a toda la máquina generaba de forma reciproca que las propias individualidades crezcan. Mats Hummels, Marcel Schmelzer, Kevin Großkreutz, Mario Götze y Sven Bender ya no solo eran los referentes del Borussia Dortmund, eran los referentes de la Selección alemana. Como Jürgen Klopp ya no solo había revolucionado al Borussia Dortmund, sino que había revolucionado al futbol germano en su totalidad.

En lo que los alemanes llaman "la clasificación eterna" de la Bundesliga, el Borussia Dortmund ocupaba a mediados del 2008 el quinto puesto de la tabla, detrás del líder Bayern Múnich, Weder Bremen, Hamburgo y Stuttgart. Pero desde el arribo de Klopp, había conseguido colocarse segundo, a solo tres unidades del Bayern.

Una locura, teniendo en cuenta que cuando Klopp llegó al club la situación era la de un equipo en quiebra.

Desde la fecha número 17 se sucedieron ocho triunfos consecutivos. Y lo más importante, la renovación del contrato del DT hasta el 2014. Porque a pesar de la cantidad de puntos obtenidos, lo más espectacular era el nivel que había alcanzado el equipo. Borussia Dortmund era sinónimo de fútbol intenso y pasional. Todo estaba cargado de máxima energía y lo que lograba transmitir el equipo eran emociones únicas. En las tribunas del Signal Iduna Park sabían que se iban a ver bien representados en cada partido y que iban a encontrar una lealtad incomparable con su forma de sentir el fútbol.

Ilkay Gündogan definitivamente ya había hecho olvidar al turco Nuri Sahin, y ya se parecía mucho más al volante que había llegado desde Núremberg. En él comenzaba el juego que luego explotaba la siguiente línea de ataque amarillo. Los polacos de Dortmund tenían máxima injerencia en el funcionamiento del equipo y en el partido contra el Hannover, en febrero, llevaban su nivel al máximo. Dos goles de Lewandowski, asistido una vez por Piszczek y otra por *Kuba* provocaban los elogios del entrenador: *"Obviamente los tres están en un gran estado de forma, pero el domingo lo llevaron a otro nivel. Si tengo en cuenta sus actuaciones están cerca de estar al 100%. Me gustan mucho este tipo de jugadores".* Lewandowski se había quedado con el lugar de Lucas Barrios, quien primero no tuvo suerte con algunas lesiones y luego padeció la falta de gol. El polaco se hizo cargo de los goles que le faltaban al argentino y asumió el rol de ser la punta de la lanza.

Kagawa y Großkreutz seguían tan determinantes como la temporada 2010/11, pero el hecho de sostener un nivel tan alto durante tanto tiempo lo hacía aún más meritorio. Además, Ivan Perišić se mostraba presto a ser la rueda de auxilio por los costados cuando alguno de los soldados de Klopp se daba de baja por lesión, y mantenía su nivel a la altura del resto de sus compañeros.

En ese andar de vocación ofensiva e intensa, el Dortmund llegaba a la fecha 30 con veintitrés partidos consecutivos sin derrotas. El rival era el escolta, Bayern Múnich, y visitaba el Westfalenstadion con la intensión de recortar los tres puntos que le llevaba el cuadro aurinegro. Las 80.720 personas que presenciaron el partido, se retiraron con los ojos llenos de fútbol y con una victoria que los dejaba a las puertas de otra consagración. En cinco minutos de partido el local había rematado tres veces al arco. Robben y Ribery prácticamente no pudieron hacer de las suyas, y Lewandowski siguió con su sana costumbre de marcar. Además, Roman Weidenfeller se convertía en el héroe de la noche al atajarle un penal a Robben, quien luego del mismo fue "felicitado" por Subotić.

El 1-0 final obligaba al Bayern a ganar todos los partidos y esperar que el Dortmund no venciera en al menos tres. Nadie se extrañaba del juego que había planteado Klopp para lograr la cuarta victoria consecutiva frente al Bayern, y hasta Joachim Löw, técnico de la Selección, lo explicaba muy fácilmente y de paso lanzaba un dardo a los jugadores del equipo que lo elevó a la categoría de leyenda: *"El Dortmund es una unidad y el Bayern un conjunto de individualidades. Cuando eres joven tienes más ambición".*

Frente al Borussia Mönchengladbach no sólo se jugaba la oportunidad de asegurar el trofeo, sino también la posibilidad de mejorar el récord que había roto la semana anterior, en el clásico ante Schalke 04, como primer equipo en la Bundesliga en lograr veinticinco partidos invicto en una temporada. Enfrente estaría Marco Reus, otro crack que ya había abrochado su incorporación a las filas de Klopp para la siguiente temporada, y tenía que visitar la que luego sería su casa por muchos años, pero avisaba a la revista *Kicker*: *"Dortmund ya es 99 por ciento campeón, los felicito, pero nosotros necesitamos los tres puntos".* Mientras que su futuro entrenador intentaba liberarlo de presiones: *"Estoy seguro de que él va a jugar un gran partido y nos enfrentará a un reto. Nos alegramos de poder contar con sus servicios el próximo año".*

Los goles de Perišić y Kagawa sellaban el 2-0 y el Borussia Dortmund aseguraba su segunda Bundesliga consecutiva: *"Es increíble cómo este equipo ha logrado su objetivo. Es difícil traducirlo en palabras. ¡Si hubo un campeón que lo mereció, fue nuestro equipo! Tiene un carácter increíble. Este final ha sido una locura",* decía el entrenador al finalizar el partido, aún dentro del campo de juego. Con este título, Jürgen Klopp se convertía en el octavo entrenador de la historia en sellar un bicampeonato en Alemania, sumándose a la lista de Hennes Weisweiler, Udo Lattek, Pal Csernai, Ernst Happel, Jupp Heynckes, Ottmar Hitzfeld y Felix

Magath. También intentó explicar cómo trabaja con un plantel tan joven: *"No hay un secreto fijo. Me gusta tratar con ellos. Tengo dos hijos y son mayores que mis jugadores. Los futbolistas entienden mi posición. Yo no intento ser simpático cada minuto del día, intento explicarles las cosas cuando es necesario. Me gusta ser su amigo, pero no su mejor amigo. Y los amigos te dicen las cosas claras en el momento adecuado. Yo, además, como entrenador, tengo que tomar decisiones. Dentro de eso, me gusta crear una buena atmósfera en el vestuario".*

El fútbol alemán vivía una auténtica revolución, y su señal más precisa era este segundo título del Dortmund. El artífice de esta obra había logrado un contagio único en su joven equipo a través de su locura por el fútbol y no permitía que los festejos se extiendan demasiado, porque quería quedarse con otro récord en el corto plazo. Dos victorias en los últimos dos partidos del campeonato significarían la obtención de 81 puntos, con la cual se superaría la marca de 79 unidades, establecida por el Bayern Múnich en 1972 y 1973 (calculando tres puntos para la victoria, aunque en esos años todavía se otorgaban dos). Klopp quería ser el mejor campeón en la historia del futbol de su país: *"Solo podemos romper ese récord si ganamos nuestros dos últimos partidos, así que ahora ese es nuestro objetivo".*

Si ese era su deseo, el equipo iba a cumplir. Y no solo con victorias, sino con dos goleadas ante Kaiserslautern y Friburgo. Entre los dos encuentros convirtieron nueve goles y cerraban la cifra de 80 goles en 34 partidos. Lo que Klopp pedía, el equipo se lo concedía. Los 81 puntos eran un récord histórico y todos se deshacían en elogios hacía el entrenador y sus muchachos. Joachim Löw era una de esas personas, y volvía a declarar: *"El Dortmund es campeón porque estuvo dispuesto a asumir riesgos durante toda la temporada y porque jugó con alegría".*

Kevin Großkreutz explicaba cuál era la clave: *"Hay un concepto de juego, no hay otra forma de lograr defender el título en la Bundesliga. Nosotros nos paramos en la cancha de forma compacta, todos los jugadores cumplen tareas defensivas y cuando atacamos nos vinculamos todos. Además, lo más importante, aquí en Dortmund la figura es el equipo y no un jugador individualmente, eso es fundamental".* Hasta el propio Klopp se sentía un afortunado por la ambición de los jugadores con los que contaba: *"Las ganas con que el equipo busca los tres puntos son increíbles. Casi no logro concebir la suerte que tengo de que me haya sido permitido trabajar con un plantel como este".*

Había sin embargo una cuenta pendiente, quizá donde había quedado expuesta la inexperiencia del equipo, la Liga de Campeones demostró una vez más que un par de partidos malos son suficientes para quedarse fuera de carrera. El gran talón de Aquiles de un equipo casi perfecto había sido la competencia internacional. Marco Reus era el refuerzo de jerarquía que daba un nuevo salto de calidad y, además, le permitía a Klopp un poco de recambio en un plantel corto. Desde Madrid regresaba un jugador extraordinario que no tuvo mucho lugar en el equipo comandado por el portugués José Mourinho la temporada anterior: Nuri Sahin se volvía a poner la camiseta del Borussia Dortmund a préstamo por un año y a cambio de un millón de euros. Sin embargo, las salidas de Kagawa a Manchester United y de Lucas Barrios al fútbol chino acortaban la cantidad de variantes para un equipo que ya de por sí no tenía jugadores de sobra.

Klopp y todo Dortmund apuntaban sus miras, una vez más, a la Champions League. El entrenador entendía que ya habían *"aprendido de sus errores recientes"* y que la experiencia en la competencia iba a ser fundamental para la campaña que tenían por delante. Como siempre, quien lo tenía bien claro era Kevin Großkreutz: *"No vamos a ser eliminados de la forma amarga y triste en la que lo fuimos esta temporada. La próxima Champions League será diferente, y seguro que vamos a llegar mucho más lejos".*

El bicampeón alemán quería asaltar Europa.

# 2.8
# SISTEMA ANTI-BAYERN

## "El Bayern es como James Bond… pero el villano"

Uno de los pilares fundamentales de la era Klopp en Dortmund fue el buen sabor que dejó en sus enfrentamientos directos frente al Bayern Múnich. Si bien el saldo total de su carrera en las 29 disputas ante los bávaros le dejaba números negativos, esto se debió principalmente a su paso por Mainz y a los primeros tiempos en el Borussia Dortmund. Hubo siete victorias en particular que marcaron a fuego al entrenador y a la tribuna amarilla. En primer lugar, los cuatro resultados favorables en forma consecutiva entre mediados del 2010 y mediados del 2012, con el plus de haberse quedado, en ambas temporadas, con el título de Bundesliga. Pero principalmente los tres duelos directos en las finales que terminaron con el Borussia Dortmund campeón fueron los que más se recuerdan en la actualidad.

Una Copa alemana (2011/12) y dos Supercopas (2013 y 2014) le dieron a Klopp el rótulo de "Bestia negra" del Bayern. La enorme cantidad de enfrentamientos con los de Múnich era algo poco común hasta hacía unos años, pero con el Borussia Dortmund nuevamente en el nivel de un grande de Alemania cada vez se veían la cara con más frecuencia. Klopp se terminó convirtiendo en el emblema del movimiento "anti-Bayern".

La popular DFB Pokal es la clásica Copa que enfrenta a los equipos de todas las divisiones de Alemania, con el mismo formato de la Copa del Rey en España, la FA Cup o la Coppa Italia. En aquel 2012 llegaron a la final los dirigidos por Jürgen Klopp, que eliminaron en semifinales a Greuther Fürth con un gol de Gündogan en el último minuto de la prórroga, y el Bayern, que hizo lo propio ante Stuttgart.

Jupp Heynckes mostraba un sistema 4-2-3-1, con dos mediocentros como Toni Kroos y el brasileño Luiz Gustavo que dotaban al equipo de una versatilidad única. Por delante de ellos solían jugar Bastian Schweinsteiger por el centro y el francés Frank

Ribery junto con el neerlandés Arjen Robben para desequilibrar a pura habilidad por los costados. Por delante de ellos había un 9 clásico de referencia como Mario Gómez, encargado de finalizar todo lo que le generara un equipo realmente espectacular, al que se sumaban Philipp Lahm y el austríaco David Alaba por los costados. Un potencial que ponía al conjunto bávaro en el podio mundial. Pero Klopp tenía una fe ciega en los suyos: *"Sabemos que somos uno de los pocos equipos en este planeta capaces de vencerlos"*.

Luego de dos 1-0 consecutivos en Bundesliga para los de amarillo y negro, todos esperaban un partido bien apretado y con mucho roce físico. Por eso ese 5-2 que se fijaba en la pantalla del estadio significaba una humillación histórica para el Bayern Múnich de Heynckes. En apenas tres minutos de partido, Shinji Kagawa dio inicio al show de goles, más tarde cayó el de Hummels, y Lewandowski se despachó con un triplete que lo dejaba como el goleador de la competición. De nada sirvieron el transitorio 1-1 anotado por Robben, ni el descuento de Ribery para el 4-2. La sentencia estaba dada y con ella el ¡quinto triunfo al hilo! de Borussia Dortmund sobre el Bayern Múnich.

La frescura de los jóvenes había destrozado, una vez más, la lenta defensa de los bávaros, en la que tanto Jérôme Boateng como Holger Badstuber sufrieron durante los 90 minutos. La aplanadora amarilla se les había venido encima y entre los dos no daban abasto para cubrir las espaldas de Lahm y Alaba, cada vez más desesperados por ir a torcer el rumbo del partido.

Por primera vez en sus 113 años de historia el equipo de Renania del Norte-Westfalia podía coronar un doblete (Bundesliga + Copa Alemana), y llegaba con una impresionante goleada en "Der Klassiker". *"Es como algo de otro planeta"*, sentenció el arquero Roman Weidenfeller, quien sufrió un duro golpe en las costillas tras chocar con Mario Gómez y apenas pudo levantar el trofeo. Klopp tampoco se lo podía creer: *"Un doblete... Es lo más increíble que me ha pasado. Estoy realmente sin palabras. El resultado hablará por sí mismo para siempre"*.

Del otro lado, previo al partido, Heynckes esperaba *"un juego muy importante, en términos de confianza"*, y después del mismo Schweinsteiger confesaba: *"no será fácil sacar esto de nuestras cabezas, pero tenemos que hacerlo"*. Solo una semana después los muniqueses debían jugar la final de la Champions League con el Chelsea y la imagen que dejaban de cara a un partido tan determinante había sido catastrófica. Encima, la cita era en la mismísima Múnich, y también perderían aquella final, tan recordada por el planteo extremadamente defensivo del conjunto londinense, que terminó quedándose con la *Orejona* por disparos desde el punto del penal.

El 27 de julio de 2013 Josep Guardiola se presentaba como entrenador del Bayern. Llegaba para imponer su orden y disciplina táctica en la Supercopa alemana frente al Borussia Dortmund, pero Klopp le respondió con una tormenta de caos que el catalán jamás pudo controlar. El duelo futbolístico entre ambos trascendería y se convertiría en un enfrentamiento ideológico para disfrutar, primero en Alemania y luego en Inglaterra. Para aquel primer choque, el Dortmund solo hacía un cambio con respecto a la final de Wembley, frente al mismo rival, de hacía solo dos meses. Łukasz Piszczek lesionado obligaba a Großkreutz a cambiar de posición y en el medio el que ingresaba era Nuri Sahin para hacer dupla con Bender. Del otro lado, cinco jugadores estaban lesionados: Neuer, Dante, Schweinsteiger, Javi Martínez y Ribery. Por lo que *Pep* se las tenía que arreglar con varios cambios. Müller iba a jugar como interior en la mitad de la cancha, acompañado por Thiago y Kroos.

Frente a tan poco tiempo de trabajo, los contraataques del Dortmund resultaron letales. A los cinco minutos el cabezazo de Reus hacía pagar caro al arquero Starke por un grosero error. En el primer tiempo y con el resultado a favor, el Dortmund estaba en su salsa y dejaba venir a los de Guardiola que muchas ideas no tenían. Con Gündogan y Lewandowski como los únicos hombres parados para el contraataque, el resto de los jugadores se abroquelaban atrás formando un muro impasable. Podrían haberse ido al descanso con un 3-0 a favor, pero Lewandowski falló dos ocasiones clarísimas. En el entretiempo *Pep* cambió de lado a Robben y Xherdan Shaqiri, lo que surtió efecto al instante y puso las cosas 1-1 por el gol del neerlandés. Pero la alegría duró nada más que tres minutos, el tiempo necesario para que Gündogan sea protagonista, primero con un centro que el belga Daniel van Buyten metió en su propio arco, y luego para enganchar de taco con la zurda, y con la derecha clavarla en el segundo palo. 3-1 para los de Klopp, que festejaba con su clásico puño derecho apretado.

Más tarde descontaría el Bayern con otro gol de Robben y Marco Reus firmaba su doblete para el 4-2 final. Dura bienvenida oficial para Guardiola al fútbol alemán y Klopp otra vez sería la pesadilla de todo Múnich. El 12 de septiembre de 2009 había sido la última vez en la que el Dortmund perdía como local en el clásico. Aquella noche se sumaba un partido más en el que el Signal Iduna Park resultaba inquebrantable.

Una vez en Manchester City, le preguntaron a *Pep* en una conferencia de prensa si entendía al fútbol de Klopp como música *Heavy Metal*, y el español recordó aquel partido del 2013: *"La primera vez que jugué contra él, en la Supercopa de Alemania, fue una buena lección para mí. Yo era nuevo y dije 'wow'. Después aprendí a contrarrestarlo un poco. Pero no es nada fácil. Sus equipos son agresivos, no tienen pausa... Entiendo perfectamente porqué dice que su fútbol es Heavy Metal".*

La tercera y última de esta serie de títulos contra Bayern Múnich tuvo lugar nuevamente en el Signal Iduna Park el 13 de agosto del 2014. El equipo de Guardiola venía de coronar cómodamente la Bundesliga y también la DBF Pokal, por lo que como sucede en estos casos, quien queda en el segundo lugar es el que disputa la Supercopa. Así le pasó al Dortmund, y así otra vez levantaría una copa frente a su clásico adversario.

El condimento especial que tenía este duelo era la presencia de Robert Lewandowski en su estreno oficial con la camiseta bávara. Reus y Gündogan, desde el banco de suplentes lo saludaron sin muchas ganas. Y el griego Sokratis Papastathopoulos pareció jugar muy enojado, porque no dejó al polaco tocar la pelota en todo el partido.

Borussia Dortmund dominó todo el encuentro y esta vez el principal argumento para la victoria, no iban a ser los contraataques rápidos. El camaleónico equipo de Klopp a pesar de tener muchas bajas manejó el trámite casi por completo, y los goles del armenio Henrikh Mkhitaryan y del gabonés Pierre-Emerick Aubameyang, recordado por festejar ese día con la máscara de Spiderman, hacían que por segundo año consecutivo la Supercopa se quedara en Dortmund.

El Bayern se había cansado de perder títulos a manos de los aurinegros. Necesitaba desarmar la estructura de su primer competidor en la Bundesliga, y de su último rival en la competencia internacional. Primero ejecutaron la cláusula de rescisión de Götze por 37 millones de euros justo antes de la semifinal contra el Real Madrid en el 2013. Luego fueron por Lewandowski a mediados del 2014 y se lo llevaron en forma de agente libre. Y más adelante pagaron los 35 millones de euros que liberaban a Mats Hummels en el 2016.

Klopp estaba más que molesto por las compras y declaró que *"Bayern opera como la industria en China. Observan lo que todo el mundo está haciendo, lo copian y luego invierten dinero y contratan diferentes personas para poder superar el original"*. Y en aquella ocasión recibió el apoyo de Mourinho, quien en una entrevista a *France Football* quiso defender la competitividad de la Liga española poniendo como ejemplo a la alemana: *"¿Usted sabe cuándo el Bayern empieza a ganar el título cada año? Cuando el verano anterior compra al mejor jugador del Borussia Dortmund: Götze, Lewandowski, Hummels…"*.

Distintas hubieran sido las cosas si en el 2008, cuando el Bayern Múnich buscaba entrenador, hubieran confirmado a Klopp en el cargo luego de su entrevista con los dirigentes. Sin embargo, se decidieron por contratar a Jürgen Klinsmann, quien apenas fue el DT por una temporada.

Hans-Joachim Watzke, director ejecutivo del Borussia, tampoco se quedó afuera del cruce de palabras: *"Hay futbolistas en Dortmund que están felices de jugar aquí, aunque sea por un 20% menos de dinero. Pero ese no es el caso cuando hablamos de un 50% menos. Es como si ellos quisieran a todos nuestros jugadores"*. Y el presidente ejecutivo del Bayern, Karl-Heinz Rummenigge, le respondió: *"No tenemos que debilitar a nadie. Cada transferencia tiene exclusivamente un objetivo, fortalecer la calidad del equipo. Hace unos años, los dos clubes tenían una relación bastante buena, pero cuando Borussia Dortmund ganó el título dos veces, celebraron de manera bastante ofensiva"*. El presidente muniqués dejaba claro que el principal problema era que el Dortmund había ganado demasiado. Más de lo que podía permitirse el club más poderoso de Alemania.

La rivalidad entre Jürgen Klopp y el conjunto bávaro continuó incluso tiempo después de su salida. En el 2016 tras una contundente victoria del Liverpool por 3-0 frente a Manchester City, y mientras daba una entrevista post-partido, Klopp comenzó a reír: *"No tengo ni idea de los demás resultados de la Premier, no he podido mirar nada aún... Pero sí sé qué ha pasado en Alemania, me han dicho que el Bayern ha perdido como local contra el Mainz"*, y soltó una carcajada.

Bastante seguido suenan los rumores de que Klopp puede dirigir al Bayern Múnich alguna vez. Hasta los máximos ídolos del club han pedido por el alemán como entrenador. Franz Beckenbauer y Lothar Matthäus son solo algunos ejemplos y, si bien siempre se mostró halagado, Klopp no se cansa de dar a entender que es imposible que dirija al Bayern. Porque Jürgen Klopp suele ser el bueno de la película, y como él mismo lo calificó en 2013, *"el Bayern es como James Bond... pero el villano"*.

## 2.9
## CHAMPIONS LEAGUE 2012/13:
## LA CONFIRMACIÓN DE UN ESTILO

*"No hay defensa frente a lo que hagas
de forma rápida y precisa"*

La temporada 2012/13 quedará marcada en la historia del Borussia Dortmund como aquella en la que terminó de enamorar a todos con su juego casi perfecto. El apogeo del modelo que Jürgen Klopp había estado perfeccionando durante cuatro años tendría lugar en la competencia más importante del mundo a nivel clubes. Tras dos campañas dominando el fútbol alemán, el desafío era lavar la imagen dada en la anterior Champions League. La motivación perfecta para un equipo que quería conquistar el futbol europeo y que iba a quedar a solo una victoria de repetir la gloria máxima europea alcanzada en 1997.

El sorteo para definir los integrantes de la fase de grupos tuvo lugar el 30 de agosto, durante la misma ceremonia en la que la UEFA le entregó a Andrés Iniesta el premio al mejor jugador de Europa. La lógica marcaba que la distinción sería, una vez más, para Lionel Messi, autor de 73 goles la temporada anterior. Mientras que el otro ternado era Cristiano Ronaldo, figura determinante del Real Madrid campeón de La Liga aquella temporada.

Las cosas empezaban mal para el portugués y no mejorarían demasiado luego de sortearse los grupos de la siguiente Champions. La suerte dictaba que el Real Madrid integraba la zona D, el denominado "Grupo de la muerte", con la presencia de cuatro pesos pesados: Real Madrid, Ajax, Manchester City y Borussia Dortmund. Los cuatro últimos campeones de sus respectivas ligas estaban dentro del mismo grupo y desde temprano ya se esperaban partidos espectaculares: *"Somos los campeones de España y estamos listos para competir con cualquiera"*, avisaba CR7 al finalizar la ceremonia.

Los representantes del Dortmund a la hora de las declaraciones fueron, primero, su entrenador: *"Este es un grupo maravilloso. Estoy ansioso por el desafío"; y* luego Mats Hummels se entusiasmaba vía Facebook: *"Qué gran grupo!!".*

Cuando se sostiene que el apogeo del modelo Jürgen Klopp se dio durante esta Champions League, no se puede dejar de lado que nueve de los doce partidos que disputó el Borussia Dortmund fueron ante rivales de máximo nivel mundial. A los seis choques en fase de grupos frente a los campeones de sus respectivas ligas hay que sumarle los dos encuentros de semifinales ante Real Madrid y luego la final ante el mejor Bayern. Lo que demuestra que además del maravilloso funcionamiento colectivo que logró alcanzar el Dortmund, la capacidad mental del bicampeón alemán se enmarcó en un nivel superlativo. Previo al inicio de la Champions, este equipo ya tenía una mentalidad vencedora. Una escuadra ganadora está compuesta por hombres convencidos de que es posible conquistar los objetivos. Futbolistas que confían plenamente en su talento y se visualizan alcanzando el éxito. Pero además son jugadores que ya habían demostrado ser especialistas en manejar la presión en los momentos de adversidad. Hacía varios meses que Großkreutz se relamía pensando en la nueva oportunidad que les iba a dar la competencia internacional. Ya no les era suficiente la Bundesliga y querían hacer historia también fuera de Alemania.

Con ese objetivo claro el andar en la fase de grupos fue espectacular. Comenzar con el pie derecho ante Ajax como local, facilitaba las cosas para no tener que empezar a remar desde atrás como había sucedido la temporada anterior. El gol de Lewandowski en los últimos minutos le daba la posibilidad a los de Klopp de viajar a Manchester sin la necesidad de recuperar puntos perdidos como local.

La oncena titular tuvo una sola modificación en tierras inglesas: ingresaba Sven Bender en lugar del capitán Sebastian Kehl y la cinta pasaba al brazo de Roman Weidenfeller. Afianzar un equipo con los mismos nombres también es fundamental a la hora de la confianza, y se hubieran traído una victoria del Etihad Stadium de no haber sido por el gol de Mario Balotelli en la última jugada del partido. Las lesiones de Mats Hummels y de Ilkay Gündogan le habían complicado el plan a Klopp, y sus salidas de la cancha generaron desacoples defensivos que finalizaron en un penal tonto provocado por Subotić. Sin embargo, traerse un empate de Inglaterra no estaba nada mal, y menos aún si luego sellaban una victoria ante el Real Madrid en la fecha siguiente.

Ganarle al Madrid significaba una asignatura pendiente para Jürgen Klopp, porque hasta entonces su innovación táctica solo funcionaba contra rivales a nivel nacional. Ahora superaba la prueba en una primera mitad de fase de grupos ante rivales de alto vuelo, y con un 2-1 como local ante uno de los equipos más poderosos del mundo. El Borussia Dortmund le había ganado la batalla física al equipo de Mourinho con la intensidad en las transiciones rápidas como su principal arma. La defensa del Real Madrid se vio asfixiada y la mitad de la cancha, sin Kedhira, fue muy vulnerable. Los goles para la victoria fueron, cuando no, del polaco Lewandowski y de Marcel Schmelzer tras una linda volea. Ambos equipos estaban cómodos con el fútbol de ida y vuelta, pero físicamente el Dortmund se encontraba a otro nivel y Klopp disfrutaba el momento: *"Es una noche increíble. Tengo una sensación fabulosa, no me podía imaginar una noche así ni en los sueños más disparatados. Pero estamos en un grupo muy difícil, muy complicado y el Real sigue siendo favorito".*

Los alemanes fueron solidarios y ordenados también en su partido en Madrid y consiguieron el 2-2 que prácticamente los metía en la siguiente ronda. Otro gol del rival sobre la hora impedía la victoria como visitante, mientras que Reus y Götze no dejaban de asombrar a todo el fútbol europeo con su calidad y técnica. Tildados muchas veces de ser incompatibles por jugar "de lo mismo", demostraban semana tras semana que sus características eran altamente asociables y ya formaban una de las mejores duplas del mundo a la hora de crear juego. El Real Madrid de Cristiano Ronaldo, Özil, Di María e Higuain no había podido con la intensidad *Borusser*, y el director de ventas y marketing del club ya tenía su lema de campaña: *"El Borussia Dortmund es una experiencia de fútbol intenso".* Y develaba el secreto para competir a este nivel: *"A partir de la conexión entre equilibrio financiero, progreso deportivo e identidad definida, el Borussia logró escalar hasta conseguir la posición actual en la que estamos compitiendo contra los más grandes equipos del mundo sin pertenecer a su categoría, sin ser corredores de su misma carrera".*

La facilidad de los de Klopp para adaptarse a las distintas situaciones del juego lo mostraban como un rival muy complicado tanto para los equipos fanáticos de la posesión de la pelota, por ejemplo el Manchester City o el Ajax, como para los que preferían el juego directo, como el Real Madrid de *Mou*.

Los últimos dos partidos de la fase de grupos de la Champions dejarían dos triunfos fenomenales. El primero como visitante por 4-1 en Ámsterdam, con un Mario Götze espectacular que participó de los cuatro goles del equipo, asistiendo en dos oportunidades a Lewandowski que no paraba de convertir. Quizá el mejor partido del Borussia Dortmund durante aquel semestre, pero sin ninguna duda en el que demostró la mayor efectividad de cara al arco rival.

El cierre con la clasificación en el bolsillo era como local ante el Manchester City, y tras la victoria por 1-0 los números decían que los de Jürgen Klopp salían invictos del "Grupo de la muerte". Y no solo eso, en ningún momento durante aquellos partidos se encontró en desventaja en el marcador. Jamás se vio en la necesidad de remontar un resultado, lo que habla de lo difícil que era doblegar a un equipo tan enérgico cuando el partido aún no se había abierto. El Dortmund siempre quiso ser el que dominaba el partido, pero disfrutaba el doble cuando el resultado se ponía a favor y el rival tenía que arriesgar, porque ahí era cuando aparecían los espacios para la velocidad de Reus, Błaszczykowski, Götze, Großkreutz o el mismo Lewandowski.

El Signal Iduna Park volvía a oficiar de fortaleza y Klopp sostenía su ciencia en el juego rápido, la verticalidad y jugadores de calidad dispuestos a correr por el compañero. El entrenador ya había afianzado un sistema inconfundible: el esquema 4-2-3-1 que se volvería una religión. La superioridad por los costados sería uno de sus principales argumentos, con Piszczek y Schmelzer ganando infinidad de duelos a espaldas de los laterales rivales, y tanto Reus como Götze explotando los pasillos interiores.

Ante la pregunta de si su equipo se parecía más al Barcelona o al Real Madrid, Jürgen Klopp respondía así al diario *El País* de España: *"Al Barça, por la presión. Por la defensa alta. Todos quieren jugar como el Barça, pero no es posible. El Barcelona tampoco podría sin Xavi, Iniesta y Messi. Pero su plan defensivo es perfecto. Quizá ese fue también el problema de Mourinho: que, aunque pensó mucho en mejorar defensivamente, lleva años sin fichar un defensa, porque a nadie le ha interesado quién juega detrás. Nosotros queremos ser muy, muy rápidos con la cabeza y las piernas. Todo a máxima velocidad. No hay defensa frente a lo que hagas de forma rápida y precisa".*

El hecho de haber sido líder del grupo D le daba la posibilidad al Dortmund de enfrentar en octavos de final a un rival que haya terminado segundo en su zona. El único interés era esquivar al Real Madrid, y el sorteo que se realizó a fines de diciembre decretaba que el Shakhtar Donetsk sería el adversario a vencer en febrero. El equipo ucraniano había sobresalido por desplazar al Chelsea en la fase de grupos que lideró la Juventus y entre sus filas contaba con una multitudinaria presencia brasileña: Willian, Luis Gustavo, Douglas Costa, Luiz Adriano, Taison y Fernandinho.

La ida en Europa del Este tenía las bajas de Gündogan y Großkreutz, lo que generaba un dolor de cabeza para Klopp. Pero el analgésico se llamaba Mats Hummels y venía en forma de cabezazo sobre la hora para empatar 2-2 y volver a Alemania con la sensación de los deberes hechos.

Los dos goles convertidos como visitante ocultaban el flojo partido del Dortmund a la hora de encontrar espacios por donde entrarle a un equipo muy bien parado en defensa. En casa las cosas fueron diferentes y se pudo ver un fútbol bastante más parecido a lo que acostumbraba aquel Borussia. Un 3-0 sin sobresaltos y con triangulaciones por toda la cancha puso los fundamentos para la clasificación. Los goles de Felipe Santana, Götze y Błaszczykowski metían al Dortmund en los cuartos de final por la puerta grande.

Enfrente estaría otra sorpresa de esa Champions: el Málaga comandado por el chileno Manuel Pellegrini había eliminado al Porto y también proyectaba alcanzar las semifinales. Una de las dos mayores sorpresas de la temporada 2012/13 se acomodaría entre los cuatro mejores del continente.

El 3 de marzo en La Rosaleda se jugó el partido de ida. Una igualdad sin goles que no dejó conforme a ninguna de las dos partes. El Dortmund mereció un poco más pero el 0-0 no estaba tan mal para definir como local. Y el Málaga podría haberlo perdido, pero empatar en casa y tener que ir a buscar un triunfo como visitante no era el escenario ideal. Klopp sabía que en el Signal Iduna Park la clasificación no podía escaparse, pero tenía un deseo: *"Un 5- 0 a los 12 minutos sería lo ideal, sin embargo, no creo que el Málaga nos haga el favor"*. Por su parte, el ingeniero Pellegrini había vuelto a convertir a un equipo muy modesto en un referente del fútbol europeo, pero no se conformaba: *"No vamos a especular con el resultado, saldremos a jugar y a tratar de disminuir todo lo positivo que tiene el Borussia"*. El chileno sabía que lo que destacaba en Dortmund era el ataque, pero si quería neutralizarlo tenían que ser muy pacientes y mantener mucha tranquilidad. El Málaga debía jugar a su imagen y semejanza. Y por 88 minutos lo hizo perfectamente bien. Con mucho orden y serenidad aguantó el pleno (pero intrascendente) dominio de los alemanes. Incluso lastimó dos veces, primero con Joaquín a los 24' del primer tiempo, y faltando diez minutos para el final, a través de Eliseu, estiraba la ventaja. El polaco Lewandowski lo había empatado tras una asistencia espectacular, de taco, de Marco Reus. Sin embargo, les españoles tenían que seguir resistiendo la embestida de un escuadrón amarillo y negro que tenía a todo el impactante estadio a su favor, lo que le terminó dando un empuje extraordinario.

Poco a poco los de Klopp fueron torciendo el brazo de su rival, y la figura del partido terminó siendo Willy Caballero, que le contuvo pelotas a casi todos los atacantes del Borussia Dortmund. Nuri Sahin e Ilkay Gündogan no paraban de filtrar balones a los cuatro jugadores de ataque, a quienes se les sumaban Piszckek y Schmelzer por las bandas. A los 91 minutos, Reus ponía el empate 2-2 tras un rebote en Felipe Santana y ahora faltaba solo un gol para pasar a semifinales. Se venía el asedio y era incontenible. Dos minutos después del segundo, cayó el tercero.

Lewandowski fuera del área (porque todo era un caos) tomó la pelota y la lanzó adentro. Cabezazo de Julian Schieber, remate de Reus, y entre Schieber y Santana pudieron empujarla. Finalmente, fue gol del brasileño y final de locos en Alemania. Y hablando de locos, Klopp en el banco a puros gritos y abrazos con Sahin. Los españoles sacaron del medio después de protestar un fuera de juego que solo el asistente y el árbitro no vieron. Schmelzer se dejó la piel para cortar, y se acabó un partido tan delirante y explosivo como el entrenador de gorra negra y anteojos. Si el Málaga se había parecido a Pellegrini durante 88 minutos, el Dortmund se había parecido a Klopp durante los últimos 5.

Estaba todo listo para que los andaluces siguieran haciendo historia en su primera participación en la Champions League, pero el Dortmund se antepuso a la épica: *"El Málaga es un equipo con mucha experiencia. El tiempo corría y definitivamente no fue fácil mantener la calma. Me han dicho que fue en fuera de juego, pero eso no importa. En un momento ya no se podía jugar al fútbol normalmente, por eso mandé a Mats (Hummels) a la cancha y eso es poco frecuente en mí, el hecho de apostar por un hombre alto para buscar el cabezazo cuando se está perdiendo un partido"*, explicaba Klopp. Mientras que Pellegrini se quejó, y bastante, por la jugada del final: *"Después de nuestro 2-1 no hubo arbitraje. Hubo dos expulsiones que no se sancionaron y también un doble fuera de juego, y así es imposible clasificarse"*.

Klopp también aprovechó para responderle durante la conferencia a los periodistas españoles que le remarcaban una y otra vez el gol en *offside* de Felipe Santana sobre el final: *"Se habla mucho del arbitraje. Puedo entender la decepción. Lo siento, pero también hubo fuera de juego en el segundo gol del Málaga"*.

La prensa española se hizo un festín de titulares defendiendo al Málaga de lo que entendían era una *"Crueldad histórica"*. *Mundo Deportivo* y *Sport*, destacaron la palabra de Pellegrini como título principal: *"No han querido que el Málaga esté en semifinales"*. Mientras que *As* prefirió: *"El fútbol te la debe, Málaga"*.

En Alemania, los títulos tenían obviamente otro color, *Die Welt* hablaba de *"El milagro de Dortmund"*, mientras que el *Süddeutsche Zeitung* remarcaba: *"La locura llega siempre al final"* y comentaba que *"Hubo aires del Bayern vs Manchester United de 1999, ya que, con dos goles en el tiempo de descuento contra el FC Málaga, el BVB alcanzó las semifinales de la Liga de Campeones"*.

El puñal quedó clavado en el corazón del técnico chileno. El 4 de febrero de 2019 el West Ham de Pellegrini enfrentaba al Liverpool de Klopp por la Premier League inglesa, y Sadio Mané colocaba el 1-0 a favor de los *Reds*. El problema fue que, en el comienzo de la jugada, James Milner se encontraba en posición adelantada, y seis años después el ingeniero Pellegrini se encargó de recordar el *offside* en el gol de Felipe Santana: *"Klopp está acostumbrado a ganar con goles en offside. Venció al Málaga con un gol que estaba siete metros fuera de juego. Así que no debería quejarse de nada".*

Según la psicología, llamamos memoria selectiva a *"esas situaciones en las que alguien parece mostrar una excepcional capacidad para recordar información que refuerce su punto de vista, pero se muestra significativamente olvidadiza acerca de otras informaciones que le resulten incómodas".* Pellegrini parecía apelar a esta característica de la mente humana para dejar de lado, una vez más, que el gol de Eliseu que había puesto al Málaga en ventaja 2- 1 se había dado bajo las mismas circunstancias.

Si alguien le hubiera dicho a cualquier hincha del Dortmund que luego de rozar la quiebra con la punta de los dedos iba a estar clasificándose para una semifinal de la Champions League seis años después, probablemente ese "alguien" hubiera sido señalado como demente. Pero al parecer en Dortmund, como en casi todos los ámbitos de la vida, tocar fondo es garantía de que solamente se puede ir hacia arriba. De ese desastre financiero surgió un modelo de gestión, tanto económico como deportivo, tan exitoso que luego de unos años ubicaba al club dentro de los cuatro mejores de Europa.

Del otro lado de la llave, el Real Madrid venía de cargarse al Manchester United y al Galatasaray. Si había un gigante europeo que representaba una prueba definitoria, era el Madrid de Mourinho en un "mata-mata". Klopp debía preparar la tropa para otro desafío gigantesco y ya empezaba a darle las primeras pinceladas al plan, al menos en su cabeza: *"Debemos dejar fuera de juego a Xabi Alonso. Porque si Alonso puede jugar como quiere, es imposible defenderse".*

## 2.10
## SEMIFINALES VS REAL MADRID

### "La única forma de alcanzar un sueño es ser valiente"

El sorteo para los cruces de semifinales se llevó a cabo el 12 de abril de 2013 en Nyon, Suiza, donde se encuentra la sede central de la UEFA. Barcelona, Bayern Múnich, Real Madrid y Borussia Dortmund serían los nombres en el bolillero, siendo este último, el deseado cruce de los otros 3 por ser el de menos peso a nivel internacional. Con esas condiciones, el neerlandés Ruud Van Nistelrooy parecía hacerle un guiño a su exequipo cuando sacó las bolillas que emparejaban a los de Mourinho con los de Klopp. Sin embargo, pasaban por alto que hasta ese momento solo dos equipos españoles habían vencido al Borussia en Dortmund por competiciones europeas, y solo uno de ellos lo había logrado en el Signal Iduna Park, que por aquel entonces llevaba su antiguo nombre de Westfalenstadion. Es decir, que además de ser el equipo revelación de la temporada con un juego extraordinario, el historial frente a los españoles jugaba a su favor.

En los cuartos de final de la Recopa de Europa 1965/66, el Atlético Madrid visitó territorio alemán, pero fue visitante en el Rote-Erde-Stadion, una especie de cancha auxiliar que tenía el equipo *Borusser* mientras el estadio que utiliza actualmente estaba en construcción. La victoria fue por 1-0 para los dirigidos por Willi Multhaup, que conseguirían el pase a semifinales por haber empatado 1-1 en la ida en Madrid y que unos meses después terminaría con el primer gran título continental de los amarillos.

La primera visita al Westfalenstadion se dio en la ya nombrada Copa de la UEFA 1992/93, cuando el Zaragoza se fue superado por 3-0 en el primer tiempo del partido correspondiente a la ida de los octavos de final. En el segundo tiempo conseguiría el descuento para recibir con alguna ilusión al Dortmund en casa, pero finalmente no alcanzaría. Dos años después el Deportivo de La Coruña (que ese año finalizó segundo en la liga española y era llamado "SuperDépor") llevó la vuelta de los octavos de final de la Copa

UEFA al alargue. Incluso, mediante Alfredo, el cuadro gallego estuvo a punto de lograr la clasificación, ya que obligaba a los locales a marcar dos veces en los últimos minutos de la prórroga. Pero ambos goles llegaron, primero con un cabezazo de Riedle a los 115 minutos, y luego con un golazo de Ricken 3 minutos después, por lo que la fortaleza amarilla continuaba siendo infalible.

En 1996 llegaría la primera victoria de un equipo español visitando el estadio del Borussia Dortmund. El encargado fue el Atlético Madrid en la fase de grupos de la UEFA Champions League y, como agregado, fue el único partido que perdería el equipo alemán en esa edición del torneo internacional en la que unos meses después se consagraría campeón, frente a la Juventus, en Múnich. Este título le dio la posibilidad de jugar la Supercopa 1997 frente al Barcelona de Louis van Gaal, que se consagró a pesar de haber empatado 1-1 en el partido de vuelta, cuando pisó el Westfalenstadion.

Unos meses después, el Real Madrid se metió en la final de la Champions League al justificar la victoria por 2-0 en casa (con goles de Morientes y Karembeu), con un empate sin goles en Alemania.

El equipo "galáctico" de Zidane, Figo, Roberto Carlos, Raúl y Ronaldo, volvió a cruzarse con los amarillos en la fase de grupos 2002/03, con victoria blanca por 2-1 en su campo y empate 1-1 en Alemania, que evitó la derrota con gol de Portillo a los 92', tras pase de Zidane. Con el detalle de que el diario madrileño *El País* lo tituló como:*"Portillo hace el milagro en Dortmund"*.

Luego de varios años, el Sevilla debió viajar al ya conocido Signal Iduna Park por fase de grupos de la Europa League 2010/11, partido en el que se llevó la victoria por 1-0 ante los de Klopp en lo que sería la última victoria de un equipo español en Dortmund. El resto es historia más cercana, tanto el Real Madrid en fase de grupos como el Málaga en los recientes cuartos de final de la Champions 2012/2013, no pudieron superar a los aurinegros, que vencieron tanto al Madrid como al Málaga siendo locales.

En resumen, en diez enfrentamientos del Borussia en Dortmund solo hubo dos victorias españolas, lo que demuestra que Alemania siempre fue un territorio hostil para los equipos peninsulares. Y si bien la historia no juega los partidos, merece su cuota de crédito.

*"Desde que salió el sorteo, él habla todos los días y yo no abro la boca"*, declaró Mourinho en la previa del partido frente al Betis por La Liga, haciendo alusión a un Jürgen Klopp que se lo tomó con humor: *"¿Que Mourinho dice que hablo mucho? Eso mismo decía mi profesor. Entonces me callaré".*

Más allá de la intención del portugués de llevar el partido a otro terreno, el alemán tenía otras preocupaciones. Apenas unos días antes se anunciaba la salida de Mario Götze al Bayern Múnich, y a pesar de sus intenciones, no podía ocultar su malestar: *"Él me ha dicho que es el jugador que ha pedido Guardiola para su proyecto. Yo podría decirle que puedo jugar tiki-taka también, pero no hay nada que hacer. Él tiene la oportunidad de jugar con un técnico de renombre y lo acepto".* En esa clásica rueda de prensa previa a los partidos de Champions, casi no hubo preguntas sobre el Real Madrid, todo giró en base a Götze, el Bayern y Guardiola. Tampoco hubo lugar para las carcajadas ni las sonrisas, el clima estaba muy espeso: *"Me empecé a enterar el jueves, después de eliminar al Málaga. Tuve un día de alegría y luego llegó la desilusión por su salida. Para la gente que está desilusionada, diré que nosotros fichamos a Reus del Borussia Mönchengladbach por 17 millones de euros, cuando iban cuartos y Reus era su mejor jugador. Esto funciona así, pero la desilusión por su marcha es muy grande porque es un gran jugador".*

Aunque en el final intentó levantarle el ánimo a una afición *Borusser* dolida por la noticia: *"Le pido a los hinchas que dejen de lado su desilusión y nos animen más que nunca. Y aquellos que no puedan dejar de lado su desilusión, que den la entrada a otro. Es hora de demostrar que somos un club especial. Sólo quiero pedir apoyo para el partido ante el Real Madrid".* El foco debía ser el Madrid de Mourinho, con Cristiano Ronaldo, Ramos, Özil e Higuain dirigiendo la nave blanca.

Un mes después de aquella conferencia, sin embargo, el entrenador recibió a Moisés Llorens, periodista del *Diario As*, y no pudo ocultar lo que sintió el día en que le confirmaron que Götze dejaba Dortmund: *"No creía que fuera a irse esta temporada. Fue un drama la manera de recibir la noticia, era como si me hubiesen pegado dos tiros al corazón. Fue una sensación muy confusa. Después de eliminar al Málaga, al cabo de un día, estando en el* campo de entrenamiento, se me acercó Michael Zorc, nuestro director deportivo, con una cara algo extraña: 'Tenemos que hablar de una cosa', me pidió. Me fui. No quería dialogar con nadie. Esa noche tenía que acudir con mi esposa al cine y lo cancelé todo. Con el paso de los días me fui recuperando hasta que convoqué a siete jugadores en un día libre para explicárselos todo y acabé comprendiendo que Mario, lo que quería, era estar a las órdenes de Guardiola", una completa locura para un entrenador que debía volver a colocar su cabeza en una semifinal de Champions League lo antes posible.

El 24 de abril del 2013 quedará grabado en la mente de cualquier hincha del fútbol, no por la fecha en sí, sino por lo ocurrido en la ciudad de Dortmund esa noche de miércoles. Las cosas habían empezado mal ya de movida para el Real Madrid, porque Ángel Di María, pieza clave para *Mou*, había sido padre bastante tiempo antes de lo esperado y con poco descanso por algunas complicaciones en el nacimiento de su hija, el DT portugués prefirió dejarlo en el banco de los suplentes. En su lugar ingresaría el croata Luka Modrić, quien no formaba parte del once de memoria que solía plantar. De hecho, debió ingresar como mediapunta para simular lo que hacía Di María, posición en la que no se sintió nada cómodo, ya que en general se encargaba de la creación del juego varios metros más atrás.

Así las cosas, Mourinho visitó el Signal Iduna Park con: *Diego Lopez; Ramos, Varane, Pepe,* Coentrão; *Khedira, Xabi Alonso; Ronaldo, Ozil, Modric;* e *Higuaín.*

Por su parte, los de Klopp salían casi de memoria, como en toda esa Champions: *Weidenfeller; Piszczek, Subotić, Hummels, Schmelzer; Bender, Gündoğan; Błaszczykowski, Götze, Reus;* y *Lewandowski.*

La idea principal del Madrid era que el equipo de Klopp no desplegara su juego por afuera, sobre todo con *Kuba* por el lado derecho, ya que Reus por el otro sector era prácticamente un delantero y se cerraba bastante más. Cristiano por izquierda y Özil por derecha marcaban una clara línea de cuatro en el mediocampo donde se sumaban Khedira y Xabi Alonso por el medio. La intención era ceder la pelota y aprovechar los contragolpes con la velocidad de Cristiano e Higuain, con Xabi Alonso y Modrić como principales lanzadores. Entonces, bien cerrados en el medio y cubriendo la banda que no debía aprovechar Błaszczykowski la idea era poner a correr a los más rápidos.

Si bien el planteo tenía sentido, arriesgaba demasiado a la hora de permitirle manejar la pelota al Dortmund que entre sus varias características positivas mostraba el buen pie del mediocampo a la hora de jugar. Con Gündogan como eje y sin una marca fija, esto conllevaba un riesgo muy alto, y tras un mal pase de Xabi Alonso que interceptó el propio turco-alemán, habilitó a Schmelzer por la izquierda, quien, tras el enganche hacia adentro y un Ramos dubitativo en la posición de lateral, lanzó el centro de derecha al medio del área chica. Pepe perdió el duelo con Lewandowski y este último comenzó su noche de ensueño. Con el 1-0 como local, la oportunidad de mantener el cero en el arco propio debía atesorarse, y los de Klopp se retrasaron varios metros para que entonces la obligación sea del Real Madrid.

Götze, acompañado por Lewandowski, iba sobre Xabi Alonso, Modrić sería la referencia de Gündogan, y aprovechando la ausencia de Di María, que hubiera generado mucho más por la banda, Reus se ubicaba casi como un interior más. Fueron veinte minutos dominados por la fricción y la lucha táctica, un combate que mostraba movimientos poco comunes, como Özil metiéndose al lugar que más naturalmente hubiera sido de Modrić para intentar conducir. Con Ronaldo corriéndose hacia adentro y dejándole la banda a Coentrão. Los teutones corriendo y apretando a toda máquina, cortando líneas de pase para que principalmente la pelota no le llegue a Xabi Alonso, quien cada vez se tiraba más atrás para poder recibir el pase limpio. Ni bien los *Merengues* tomaban la pelota, ya había un rival cerca. Ante la recuperación, nada de titubeos, el pase iba directo para algún delantero y los ataques debían ser directos.

Durante todo el primer tiempo los de Klopp se dieron cuenta de que Özil no retrocedía y Sergio Ramos no estaba cómodo en esa posición, entonces sobrecargaban esa banda con Schmelzer, Reus, Lewandowski y Götze, sumados a *Kuba* que se cerraba mucho y generaban la superioridad numérica que les permitía triangular.

Casi en el cierre de la primera mitad llegó el error que esperaba el Madrid, mal control hacia atrás de Hummels que quiso frenar la pelota con la suela y la presión de Higuain surtió efecto. El argentino se la llevó de cara al arco y le sirvió el gol a Cristiano Ronaldo. Todos los análisis tácticos se iban al tacho de basura por un pequeño error individual y el descanso dejaba al Madrid feliz por ese empate con gol de visitante.

Para el complemento Mourinho volvió a proponer un 4-2-3-1, pero la mayor sorpresa era Modrić en la derecha. El croata siguió sin sentirse cómodo, y la verdad es que era lo más lógico al enfrentar a un equipo que maneja tan bien los costados. La idea del portugués era nuevamente cerrarse con dos líneas de 4 y obligar al Dortmund con pelotazos frontales. De hecho, consiguió lo que buscaba, pero los alemanes ganaron muchas segundas pelotas y el plan terminó fallando. La idea de los de Klopp para esta segunda parte era sobrecargar nuevamente la banda, pero esta vez sería el turno del lado derecho. Si anteriormente Özil no retrocedía y ahí se podía generar superioridad numérica, aún más espacios había del otro lado de la cancha a la espalda de Cristiano. Piszczek estaba mucho más fino por la derecha que Schmelzer en la banda izquierda, y de esta forma llegaron los tres goles que remataron al Real Madrid.

Cinco minutos tardaron los de Klopp en dejar atrás el error de Hummels. Piszczek lanzó un centro que despejó a medias Kehdira, la segunda pelota nuevamente le quedó al Dortmund mediante Reus que le pegó mordido desde lejos y el balón le cayó a Lewandowski que solo en el área, controló y la mandó adentro. El segundo de su cuenta personal ponía al frente a los de Klopp y aún quedaba mucho partido por jugar. El tercero llegó nuevamente por una buena triangulación por la derecha, esta vez entre Reus y Piszczek. Este último lanzó el centro que despejó el francés Raphaël Varane, la segunda pelota (que por enésima vez la ganó un jugador del Dortmund) fue de Schmelzer por el otro lado y buscó el centro por abajo para que Lewandowski controlara, hiciera una pisada espectacular y cayéndose clavara la pelota en un ángulo. Pura poesía polaca para culminar la constante que mostró aquel segundo tiempo. Diez minutos después de aquel golazo, una vez más los de Klopp aprovecharon las carencias del sector izquierdo del Madrid, Götze le ganó la espalda a Coentrão y buscó el centro para Reus que la paró con el pecho y sintió la embestida de Alonso por la espalda: penal que Lewandowski no fallaría y póker para el polaco que cerraba la fiesta *Borusser*.

Con la eliminatoria casi sentenciada Mourinho decidió meter un volantazo, Benzema y Di María a la cancha por Modric e Higuain. Pero el Real Madrid parecía sentenciado y los desbordes del argentino no serían suficiente antídoto a la fórmula del Borussia. De hecho, todas las pelotas lanzadas al área solo agigantaban la figura de Hummels que al finalizar el encuentro terminó con saldo a favor pese al error del primer tiempo.

El dato que no acostumbraba a ganar el equipo de Mourinho era el de la posesión del balón, pero al finalizar el encuentro el porcentaje le daba al Madrid que habían sido los dueños de la pelota el 56% del tiempo. Klopp había utilizado frente a Mourinho, las mismas armas que habitualmente usaba el portugués: *"El Madrid tuvo mayor porcentaje de posesión, pero eso no es malo, solo es malo si el rival tiene más posesión y también tiene la mejor idea. Creo que el día del 2-1 (en fase de grupos) nosotros tuvimos la mejor idea porque sabíamos quien tiene problemas cuando domina el balón. Sabíamos que los pases buscarían a Cristiano. Nuestro plan fue siempre tapar a Xabi Alonso; porque si él puede jugar como quiere es imposible defenderse del Real Madrid. Si bloqueábamos a Xabi obligábamos a Pepe a tener siempre el balón".*

Más tarde, al hablar con la prensa, Pepe aseguraba que esperaban un partido *"más fácil de lo que ha sido"* y los titulares del mundo hablaban de la posible final alemana que se avecinaba, ya que un día antes, el Bayern había destrozado al Barcelona de Messi en Múnich, cerrando con un 4-0 que los dejaba con la sensación de tener un pie y medio en Wembley.

*The Guardian*, de Inglaterra titulaba: *"Primero el Bayern, ahora el Borussia Dortmund: por segunda noche consecutiva un equipo español recibe cuatro goles en Alemania".* France Football, fue tajante: *"Lewandowski aplasta al Madrid".* Y el periódico barcelonés *Mundo Deportivo* parecía disfrutar el momento: *"Debacle total del Real en Dortmund. El Real Madrid ha caído sin excusas en Dortmund en la ida de las semifinales de la Champions League y casi puede ir despidiéndose de conquistar la 'décima' esta temporada en Wembley".*

Previo al partido de vuelta, en la conferencia habitual, Klopp habló de la necesidad de seguir peleando por estar en la final y remarcó que aún no estaban en ella: *"El Real Madrid nos puede causar muchos problemas, pero nosotros tenemos un gran potencial ofensivo, como demostramos en la ida, y la fuerza necesaria. No vamos a jugar a la defensiva. Lo importante en fútbol es el equilibrio entre ataque y defensa. Nuestra forma de actuar siempre es la misma, atacamos y defendemos todos".* Y luego se resaltaría una frase que va 100% con su estilo y con las ideas que intenta transmitir desde que era un joven entrenador en Mainz: *"La única forma de alcanzar el sueño es ser valiente. Es lo que intentamos hacer. No es ningún problema que perdamos el partido, puede pasar, lo que interesa es lo que hemos invertido en el juego. No podemos fracasar. Lo que es seguro es que pasará algo histórico, que pasemos a la final o que nos eliminen. Tengo una enorme confianza en que vamos a jugar muy bien".*

Ambos equipos definían su pase visitando España, pero ya se olía desde lejos una final teutona en Wembley. El Bayern volvió a golear al Barcelona por 3-0, esta vez sin Messi, que miró todo el partido sentado en el banco de suplentes por una lesión. Y del otro lado de la llave, el Borussia Dortmund (que repitió el once titular) tuvo que sufrir en Madrid para sostener el 2-0 que los españoles consiguieron en el tramo final (83' y 89'). El conjunto blanco quedó solo a un gol de la clasificación, pero hubiera sido un acto de injusticia que tras la demostración táctica y futbolística mostrada por los alemanes en el Signal Iduna Park, no estuviesen en Londres en la cita del 25 de mayo.

El mundo había visto al equipo de Klopp superar la que hasta ese momento era su prueba más importante, quizá la victoria más resonante en su carrera como entrenador. Porque si bien es cierto que quienes clasificaban a la final eran los actuales campeones de la Bundesliga, vencer al Real Madrid a nivel continental con cuatro goles iba a marcar un antes y un después en la historia de este equipo, y sobre todo en la de Jürgen Klopp: *"Había que tener sangre fría y sabía que si jugábamos el fútbol que nos permitieron hacer lo lograríamos. Así que por todo somos los que merecíamos pasar a la final. Pensé que esto no iba a pasar. Es increíble. Es un equipo joven y estoy muy orgulloso de ellos".* Además, aprovechó para tirarle un palo a Mourinho que no paró de hablar con el cuarto árbitro durante todo el segundo tiempo: *"Ha sido una locura desde la segunda mitad. Todos los miembros del Real Madrid han hecho cosas para llevar al árbitro hacia un lado. Pero hemos tenido que reaccionar y mantenernos firmes. Pensé que Sergio Ramos podía hacer con Lewandowski lo que quisiera".*

Aquella Champions reforzó la virtud de camaleón que el Borussia Dortmund venía mostrando hace un par de temporadas, adoptando hasta tres posturas distintas en una eliminatoria frente al Real Madrid. Primero con el juego de posesión que le permitió desplegar el equipo blanco en la ida al cederle la pelota, luego con la energía de la recuperación alta que obligó a hombres puntuales del rival a cometer errores, y por último al esperar replegado para lastimar de contra. Y lo más destacado de todo es que el Dortmund se lució en todas las facetas, con un equipo de jugadores muy jóvenes en su mayoría, Klopp había logrado dotarlos de la capacidad mental para afrontar este tipo de situaciones límite, y el entrenador no podía contener los sentimientos: *"He vivido muchas cosas, pero lo de hoy es diferente y estoy emocionado. Haber perdido hubiera sido una gran decepción".* Cuando le preguntaron si se quedarían hasta el día siguiente en Madrid antes de volver a Dortmund, Klopp no dudó en señalar al exjugador del Real Madrid: *"Seguramente saldremos por Madrid esta noche. Si no dejara de ir de fiesta a los chicos sería un retrógrado. Nuri Sahín nos hará de guía porque conoce bien la ciudad".*

La competencia recorrida por este Borussia Dortmund multifacético merecía llegar al último partido de la competición con el sueño de lograr el título: *"En Wembley no quiero ser un turista. En la final me da igual con qué equipo nos enfrentemos porque no vamos a ser favoritos. Pero todos lo van a disfrutar y en Londres todos verán que no nos quedamos satisfechos con ser finalistas".*

Aún restaba un partido, pero la valentía de los de Klopp nuevamente había dicho presente.

## 2.11
## FINAL CHAMPIONS LEAGUE VS BAYERN MÚNICH

*"Todo fue perfecto en Londres.
Solo el resultado fue una cagada"*

Desde su reconstrucción en el 2007, el imponente estadio de Wembley ya había sido sede de la final disputada entre Barcelona y Manchester United en el 2011, y ahora sería testigo de la primera final en la historia entre dos equipos alemanes por Champions League. La Bundesliga se convertía de esta manera en la cuarta liga en colocar a dos equipos propios en una final de dicha competencia. Primero había sido La Liga española con Real Madrid - Valencia en el 2000, luego la Serie A italiana con Milán - Juventus en 2003, y en tercer lugar la Premier League inglesa con Manchester United - Chelsea en 2008. Ahora era el turno del torneo alemán y ambos equipos venían de liquidar a los dos conjuntos españoles más poderosos. Cada uno tenía sus propias cuentas que cubrir con el título europeo.

El Dortmund se encontraba ante una posibilidad histórica que no se le daba todos los días, y la consagración de 1997 quedaba cada vez más lejana. Mientras que el Bayern buscaba su quinta Copa, aquella que se le había escapado hacía exactamente un año frente al Chelsea de Mourinho y Didier Drogba, cuando cayó en el propio Allianz Arena. El gol del marfileño sobre la hora había llevado el partido a los penales, donde nuevamente el propio delantero se encargó de sepultar los sueños alemanes con el último disparo que consagraba a los *Blues*: *"Creo que lo que pasó hace un año no tendrá un impacto negativo mañana, sino más bien positivo, porque estamos motivados"*, aseguraba Thomas Müller. De conseguir el título, el Bayern se ubicaría en el tercer escalón como máximo ganador continental igualando al Liverpool, y solo detrás de Real Madrid y Milan.

Jürgen Klopp tenía nuevamente enfrente a los de Múnich, y soñaba con que una vez más pudiera aplicar su fórmula ganadora en la que intentaría llevarlos al terreno que más le convenía, porque *"allí podremos derrotarlos"*. Pero enfrente había lo que se llama realmente un equipazo. Desde el emblema del histórico Philip Lahm, pasando por la solidez de Dante y Boateng, un doble medio centro sensacional conformado por Bastian Schweinsteiger y Javi Martínez, llegando a toda la potencia que se desencadenaba en el ataque con Ribery, Robben y Müller. El elenco de Heynckes era el claro favorito, y así lo sentía el propio Klopp: *"Obviamente no somos favoritos, pero no importa tanto la mentalidad o las habilidades, sino los pequeños detalles"*.

El Bayern era una verdadera máquina de jugar al fútbol. Había dejado fuera de competencia a Arsenal en octavos, Juventus en cuartos y Barcelona en la semifinal, siempre funcionando como un engranaje decidido a aplastar al rival. El equipo de Heynckes estaba en la cresta de la ola en el ámbito internacional y ya había abrochado, a falta de seis fechas para el final, la Bundesliga.

Aquel equipo destrozó varios récords alemanes en la consagración que terminaba con la hegemonía del Borussia Dortmund a nivel doméstico, tras dos títulos consecutivos: la obtención más temprana del trofeo en la jornada 28, la mayor cantidad de victorias en una temporada (29), 15 triunfos como visitante; 21 victorias en las que el rival no convirtió goles, 36 partidos anotando goles de forma consecutiva, récord absoluto de puntos (91) y una sola derrota, lo que le daba el rótulo del equipo con menos partidos perdidos en una Bundesliga.

El conjunto de Klopp terminaba el torneo local a 25 puntos de distancia del que sería su rival en la final de Champions, y para colmo tenía una baja muy importante. Como había sido protagonista previo a las semifinales ante el Real Madrid por su traspaso al Bayern, ahora Mario Götze volvía a ser la noticia principal, pero por una lesión muscular que lo dejaba fuera del partido ante su nuevo club: *"Luché muy duro para poder estar, pero no lo logré. Estoy tremendamente apenado por no poder ayudar a mis compañeros en un partido tan importante. Confío plenamente en el equipo y viajaré a Londres para ayudarlos"*. La lesión que lo sacaba temprano del segundo partido ante el Real Madrid, lo hizo resentirse en un entrenamiento y a la duda de Mats Hummels (tenía una molestia desde el último partido de Bundesliga ante el Hoffenheim) se le sumaba otro dolor de cabeza para el entrenador.

Con Götze descartado, Hummels entre algodones y frente al mejor elenco de toda la temporada en Europa, el Borussia Dortmund de Klopp necesitaba sacar el plus que había logrado imponer en los últimos años frente al club de Baviera para conseguir la tan anhelada Champions League.

El hecho de no vivir este tipo de partidos muy a menudo puede ser observado desde dos puntos de vista distintos, por un lado, la falta de experiencia es un factor que podría ser determinante, ya que el Bayern Múnich estaría jugando su tercera final de Copa de Campeones en cuatro años. Pero en la otra cara de la moneda, y de este lado se ubicaría el pensamiento de Klopp, la presencia no tan común en partidos de estas características podía darle al Dortmund un extra en la motivación: *"Para un club renacido de las cenizas las cosas son más emocionantes frente a aquellos para los que triunfar es lo normal"*, señalaba Klopp haciendo referencia al Bayern.

El reemplazante de Mario Götze sería, una vez más, el comodín del Borussia: Kevin Großkreutz. Y las buenas noticias llegaban en la conferencia previa al partido, donde los jugadores designados para hablar con los medios serían Sebastian Kehl y Mats Hummels, este último confirmando su presencia: *"Cuando me di cuenta de que estaba mejor, me sentí más optimista y saber que podía estar en la final me hizo muy, muy feliz"*.

Los once de Jürgen Klopp para la final serían: *Roman Weidenfeller; Lukasz Piszczek, Neven* Subotić*, Mats Hummels, Marcel Schmelzer; Ilkay Gündogan, Sven Bender, Jakub Błaszczykowski, Marco Reus, Kevin Großkreutz; y Robert Lewandowski* .

Jupp Heynckes no podría contar con Toni Kross y Holger Badstuber, lesionados desde hacía unas semanas y formaría con: *Manuel Neuer; Philipp Lahm, Jérôme Boateng, Dante, David Alaba; Bastian Schweinsteiger, Javi Martínez; Arjen Robben, Thomas Müller, Franck Ribery; y Mario Mandzukic.*

El abrazo entre los entrenadores previo a la salida de los equipos mostraba un respeto mutuo a la altura del que se tenían ambos equipos. El modelo de juego y la idea táctica de ambos no iba a cambiar a lo que nos tenían acostumbrados, y en ese sentido lo más probable era que no hubiera sorpresas. Pero la enorme cantidad de duelos individuales entre jugadores de elite hacían suponer un partido de fútbol sensacional.

El enfoque del Bayern sería, como siempre durante los últimos años, dominar la posesión frente al Dortmund, pero ahora Heynckes quería lograr un equipo especialmente "compacto y disciplinado" cuando el Borussia tuviera la posesión. Para esto necesitaría la principal colaboración de Mario Mandzukic y Thomas Müller, quienes debían retroceder y contribuir cuando no tuvieran la pelota. Por otro lado, había que evitar los ya conocidos contraataques del equipo de Klopp, porque si conseguían los espacios para salir rápidamente hacia adelante, el Bayern volvería a sufrir. Para impedirlo, la fórmula del equipo muniqués era sostener la posesión durante largos períodos, y de esta forma avanzar siempre de esa forma compacta y ordenada que quería el entrenador.

A pesar de que no se esperaban grandes innovaciones a nivel táctico por tratarse de una final, los primeros veinte minutos mostraron a Reus presionando un poco más alto de lo normal y esto incomodó al Bayern. Los bávaros no conseguían fluidez para salir del fondo y transcurrido un cuarto de hora optaron por ubicar a Schweinsteiger entre los centrales para poder conseguir esa salida más limpia. Con el retraso del volante alemán, el español Javi Martínez se adelantó unos metros y consiguió una posición más agresiva que hizo que los volantes del Borussia retrocedieran un poco. Ahí se formó una brecha más grande entre mediocampistas y delanteros que dejó descolgados a Lewandowski y Reus. Tras un gran primer cuarto de partido del Dortmund, el Bayern había emparejado el asunto.

Ese ajuste táctico entre Javi Martínez y Schweinsteiger fue producto de lo aceitados que tenían los movimientos ambos jugadores. Cuando el ex jugador del Athletic de Bilbao llegó al Bayern a mediados de 2012, no sabía ni una palabra de alemán, y encontró ayuda en quien sería su compañero del mediocampo, ya que Bastian hablaba un poco de español y se encargaba de traducir las instrucciones de Heynckes durante los entrenamientos. Así como lo ayudó a nivel lingüístico, también colaboró en sus responsabilidades tácticas. Desde entonces fue una dupla de mediocentros que se fue afianzando cada vez más y que a su gran aporte físico le añadían mucha movilidad y precisión en los pases.

La respuesta de Klopp a la modificación del Bayern fue adelantar a Gündogan unos metros para que Javi Martínez no se sintiera tan libre, pero tras media hora ya la presión del Dortmund no era la misma que al comienzo y daba la sensación de que el Bayern ya había pasado la tormenta. En realidad, quien sostuvo al equipo fue el arquero Manuel Neuer, que le contuvo claros remates a Lewandowski, *Kuba*, Reus e incluso a Sven Bender. Pero en los últimos 15 minutos del primer tiempo, quien hizo lo propio del otro lado de la cancha fue Weidenfeller, primero rozando con la punta de los dedos un cabezazo de Mandzukic, y más tarde, conteniéndole dos mano a mano a Robben, uno de ellos con la cara.

La segunda mitad comenzó con los mismos nombres y con las mismas posturas en las que ambos equipos habían terminado la primera parte. La única diferencia la marcó Heynckes, dándole mucha más libertad a Robben para moverse por todo el ataque. Y esa pequeña variante, resultó clave.

Una serie de errores del Dortmund le permitieron a los de Múnich ponerse en ventaja. Neuer despejó el balón lejos al verse presionado, Mandzukic controló con el pecho y Robben, con total libertad, tomó la pelota en el círculo central para comenzar a correr hacia el arco de Weidenfeller. Le jugó el pase a Ribery que, tras juntar a tres rivales, se la dio nuevamente a Robben que ya había acelerado para buscar la descarga. El neerlandés esquivó al arquero que salió lejos, y lanzó el centro para el gol de Mandzukic. A nivel defensivo el Borussia tenía ventaja de cinco contra cuatro, pero fallaron al ir tres hombres sobre Ribery, lo que generó un desajuste en las marcas.

La reacción de los de Klopp llegó rápido, y tan solo siete minutos después, Dante le cometió un penal muy infantil a Reus. El central brasileño ya estaba amonestado y el árbitro Nicola Rizzoli debió haberlo expulsado: *"No estoy seguro de si habría cambiado algo un once contra diez, pero ya no se puede hacer nada"*, sentenciaba Klopp luego del partido. Quien se haría cargo de la pelota era Ilkay Gündogan y marcaría el empate parcial. Desde ese momento el Bayern fue mucho más y el Borussia Dortmund parecía irse quedando lentamente sin combustible en el tanque. El desgaste que había propuesto un partido de este calibre comenzaba a hacerse notar. Weidenfeller estaba en una de sus noches especiales, cuando parecía que era imposible convertirle. Pero faltando un minuto para completar los 90 reglamentarios, llegó el mazazo de Robben.

Si había alguien que lo merecía más que nadie, probablemente era él. El neerlandés cosechaba en su historial tres derrotas en finales, la primera de Champions League 2010 cuando cayó frente al Inter de Mourinho. Luego ese mismo verano europeo quedó marcado en la final del Mundial de Sudáfrica por desperdiciar un claro mano a mano ante Iker Casillas, cuando España sería campeón del mundo tras el gol de Andrés Iniesta. Y, por último, la ya mencionada derrota por penales ante el Chelsea en Champions (otra vez con Mourinho en el banco), en la que Robben falló un penal en el alargue. En esta ocasión las cosas serían distintas, y por primera vez Arjen Robben se vestía de héroe en un partido por el título: *"En la semana se habló mucho de eso, muchas personas me dijeron: 'Esta vez vas a marcar el gol decisivo'. Tuve varias ocasiones que no terminaron en gol, pero me mantuve tranquilo y al fin llegó la chance definitiva"*.

Como ya le había sucedido en el Real Madrid tras la temporada 1997/98, Jupp Heynckes no iba a seguir en el cargo de un equipo tras proclamarse campeón de Europa. Aquella vez se fue tras obtener la séptima *Orejona* del equipo blanco, y ahora se despedía con la quinta del Bayern: *"El triunfo de hoy es tan excepcional como la forma en que hemos jugado al fútbol esta temporada"*, sellaba el técnico en su despedida.

Jürgen Klopp tenía una mezcla de sentimientos porque, como otras veces en su carrera, tras demostrar haber estado a la altura del desafío, en los últimos minutos se le escapaba la consagración: *"Me siento orgulloso de mi equipo, pero ahora prevalece la decepción, y es normal. Si buscas algo y no lo consigues, duele. Mis jugadores han dado todo lo que tenían. Ahora debemos ir más allá, tomarnos unas vacaciones, comprar algunos jugadores, ya que otros clubes quieren a los nuestros, y empezar de nuevo. Merecíamos estar aquí, ha sido muy importante para nosotros. La atmósfera fue brillante gracias a la afición. Solo puedo decir que fue genial. Londres es la ciudad de los Juegos Olímpicos. El clima estuvo muy bien, todos fue perfecto. Sólo el resultado fue una cagada"*.

Como el mismo entrenador remarcó en esa rueda de prensa, el año del Dortmund había sido estupendo, y habían jugado frente al Bayern *"el mejor partido de toda la temporada"*, pero no sería suficiente. A partir de ahora quedaba por ver si este pico en el rendimiento del Borussia era sostenible, o si Klopp era capaz de reinventar a un equipo que ya parecía haber tocado techo. De conseguirlo, se volvería a ver a un plantel capaz de luchar cabeza a cabeza con los clubes más poderosos de Europa, o en caso contrario se había observado la última fase de un proceso muy largo que había comenzado allá por el 2008.

## 2.12
## FIN DE CICLO EN DORTMUND

### "Fue una de las mejores historias de fútbol que escuché"

En abril de 2015 el Borussia Dortmund no encontraba el rumbo en la Bundesliga. Hacía apenas dos meses, la derrota con el Ausburgo lo había dejado en la última posición de la tabla y si bien pudo recuperarse y salir del fondo, ni el equipo, ni el entrenador eran los que alguna vez habían sido. En marzo, llegó la eliminación en Champions League frente a la Juventus, y el sueño se truncaba demasiado pronto en los octavos de final. Además, el título frente al Bayern en la Supercopa 2014 quedaba cada vez más lejos. Jürgen Klopp entendía que el pésimo inicio de temporada hipotecó sus posibilidades de darle pelea, una vez más, al equipo de Múnich, que se encaminó al título desde muy temprano.

Con el décimo lugar en el torneo doméstico, sin chances matemáticas de ingresar a la Copa de Campeones del año siguiente, y con la improbable clasificación a la Europa League, uno de los técnicos más exitosos de la historia del Borussia Dortmund, decidía poner fin a su ciclo ganador: *"Siempre dije que en el momento en que sintiera que no era el entrenador perfecto para este club extraordinario, lo diría, y ha llegado el momento de hacerlo"*. El nacido en Stuttgart abandonaba nuevamente un lugar donde dejaba su huella profundamente marcada: *"Esto no tiene nada ver con la actual situación deportiva, sino con el futuro. He dedicado mucho a este club, aunque también he recibido mucho"*.

Los números de Klopp en Dortmund dejaban la vitrina con dos Bundesligas (2011 y 2012), una Copa alemana (2012) y dos Supercopas alemanas (2013 y 2014), y el director deportivo Hans Jochim Watzke, acusaba el golpe de su salida: *"Hemos hablado con Jürgen en los últimos días y llegamos a un acuerdo mutuo para que finalice su contrato al término de la temporada. Son noticias difíciles para nosotros. Tenemos una relación muy especial. Ha sido una decisión muy difícil de tomar. Después de todo el éxito que ha tenido con el club siempre será recordado".* Si bien el contrato vencía en 2018, el DT quiso rescindir antes de tiempo, aunque aclaró que no se debía a una cuestión de saturación ni cansancio: *"Esto no tiene nada que ver con que esté cansado. No mantengo contacto con ningún otro club, pero tampoco quiero un año sabático".*

El 23 de mayo de 2015 en el Signal Iduna Park, el rival de turno era el Werder Bremen y el resultado fue 3-2 para los locales. Incluso el equipo había logrado lo que parecía tan lejano hacía apenas unas fechas, la clasificación a la Europa League. Pero absolutamente todas las miradas estaban en la despedida de Jürgen Klopp. El técnico alemán había dirigido oficialmente su último partido en la ciudad de Dortmund y un mosaico espectacular en la famosa "pared amarilla" mostraba la leyenda de "Danke Klopp" (gracias Klopp).

El pedido del entrenador había sido que nada de flores para su despedida, porque quería irse *"con un fútbol a todo gas".* Sin embargo, fue imposible contener la emoción: *"Fue una de las mejores historias de fútbol que escuché. Estoy en paz con todos. No fue fácil, tenía lágrimas en mis ojos. Amo este estadio, y las personas mostraron una sensibilidad increíble",* expresó en la conferencia de prensa.

Más allá de sus títulos, Klopp dejaba una sensación de respeto. Un respeto ganado, no por sus victorias ante el Bayern, ni por sus números positivos en Bundesliga, sino por una filosofía en la que nunca traicionó sus principios. El estilo Jürgen Klopp había aterrizado con una promesa: *"fútbol con pasión que va a satisfacer a la multitud".* Los hechos llevaron a que logre credibilidad, y la credibilidad lleva al respeto. Si en el fútbol es difícil conseguir el apoyo incondicional de un plantel, ni hablar el de toda una ciudad. La quiebra fue el puntapié inicial para volver a ser. Dortmund había renacido y quien lo puso de pie se despedía, al menos por un tiempo.

# 3.

## LIVERPOOL FC
## (2015 - )

# 3.1
# CONVERTIR A LOS INCRÉDULOS EN CREYENTES

*"En este momento no somos el mejor equipo del mundo, pero a quién le importa. Queremos ser el mejor equipo del mundo en el futuro"*

El empate 1-1 frente a Everton el 4 de octubre de 2015 supuso la destitución del norirlandés Brendan Rodgers al frente del equipo rojo. El derbi de la ciudad era la culminación de un ciclo que venía tambaleando hace ya bastante tiempo. Pero si se debe marcar un punto de referencia donde la debacle se volvió irreversible, hay que mencionar la derrota por 6-1 ante el Stoke City en el último partido de la anterior temporada. Después de haber quedado a un paso de obtener la Premier en el 2014, aquella derrota frente al Stoke no solo fue lapidaria desde el resultado, sino que además dejaba al Liverpool fuera de la clasificación a la Champions League. Algo inconcebible para uno de los clubes más grandes del mundo, y que contaba con jugadores de la talla de Gerrard, Coutinho, Henderson y Sterling.

Quizá el principal problema de aquel equipo fue no poder solventar la salida de Luis Suárez al Barcelona y con él, sus 31 goles en la Premier League que le valieron el Botín de Oro en la campaña 2013/14. Aquella temporada el uruguayo logró seis dobletes, dos *hat-tricks* (frente a West Bromwich y Cardiff), y un póker de goles en el 5-1 a Norwich. Como dato extra, el Liverpool nunca perdió cuando Suárez anotó. Desde Ian Rush (1985/86) que un jugador de los Reds no superaba la marca de 30 goles en una temporada, y perder a un artillero de ese calibre no podía significar lo mismo para ningún equipo. El actual jugador del Barcelona se fue a cambio de 81 millones de euros, y los ingleses intentaron reemplazarlo con figuras como Mario Balotelli, proveniente del Milan por 20 millones, y Divock Origi, que con 19 años llegaba desde el Lille francés por 12 millones, pero no estarían ni cerca de su nivel. La sobredependencia en Daniel Sturridge sería un problema constante durante toda la temporada.

Tras la destitución de Rodgers una hora después de aquel juego frente a Everton, los rumores apuntaban hacia dos nombres: Carlo Ancelotti y Jürgen Klopp. Sin embargo, hacía varios meses se venía hablando de las posibilidades de que el alemán comandara las filas de Liverpool. Con la ya preocupante campaña del equipo en la temporada anterior que los dejó sin competencia internacional, sumado a la libertad de Klopp por encontrarse sin trabajo tras dejar Dortmund, todo parecía indicar que la chance y el deseo de muchos de unir a ambas partes era realmente viable: *"No la cagues, todos queremos ir a Liverpool en este momento"*, fue el mensaje que le escribió el propio Klopp a su agente Marc Kosicke, previo a su viaje para ultimar los detalles con la dirigencia del equipo inglés.

Liverpool necesitaba muchas de las cosas que el entrenador había podido mostrar en sus pasos por Mainz 05 y Borussia Dortmund. Entre las principales se podían destacar a su capacidad para dotar a sus equipos de una idea concreta de juego y, además, para nada menor en la actualidad de los Reds, el hecho de darles un enorme sentido de pertenencia. Los ocho años que Klopp permaneció en Mainz, sumados a los siete durante en los que se consolidó en el Borussia, le daban la seguridad a la dirigencia de que sus proyectos siempre pretendían ser a largo plazo.

Dietmar Hamann, quien defendió los colores del Liverpool entre 1999 y 2006, describió de forma muy precisa lo que precisaba el club: *"El Liverpool necesita despertar sus emociones. La gente allí ha perdido la fe en el equipo. Es fundamental que llegue alguien capaz de levantar a los aficionados de nuevo y conseguir que sucedan cosas".*

El desafío iba más allá de lo que ocurría adentro del campo de juego, no era meramente una cuestión táctica. Jürgen Klopp tenía que cargar en sus hombros con la historia de un club ganador y encausarla nuevamente en el camino correcto.

El técnico nacido en Stuttgart no había tomado unas vacaciones demasiado largas, solo las suficientes para descansar un poco la cabeza y liberar tensiones de lo que fue un último año con muchas malas energías. Luego de eso apuntó a perfeccionar su inglés, una clara muestra del que pretendía que sea su próximo destino.

Unos años más adelante, cuando Rodgers ya dirigía al Leicester, tuvo que enfrentar al Liverpool de Klopp, y aclaró al diario *The Telegraph* que no tenía ningún tipo de rencor ni nada parecido por cómo se dieron las cosas: *"Fue un privilegio entrenar al Liverpool. Aprendí mucho en mis tres años allí. No fue para nada una salida amarga. Hasta dejé que Klopp se mudara a mi casa. Le dije al club que me iba a Londres y que él podría vivir en ella. Y allí sigue todavía. Le deseo lo mejor"*. Para entonces, Klopp también se deshacía en elogios para con el norirlandés: *"Brendan no fue el único responsable de que el Liverpool no funcionara. Lo hizo muy bien en el Celtic y ahora en el Leicester. Ha diseñado un bloque formidable. Su juego es emocionante, fresco... Defienden bien, sus medios son fuertes y saben tocar, sus atacantes son creativos y sus contraataques una amenaza. Lucharán por estar entre los cuatro primeros hasta el final"*.

La idea más importante quizá fue la que marcaba *"convertir a los incrédulos en creyentes"*, porque es el concepto que resumía perfectamente lo que quería conseguir: *"Tenemos que cambiar de escépticos a devotos desde ahora. Entiendo el fútbol. Tenemos que entretenerles, hacer que su vida sea mejor. El fútbol no es tan importante, no salvamos vidas o cosas por el estilo, nuestro trabajo es hacerles olvidar sus problemas durante 90 minutos y que luego se pueda hablar tres días sobre el último partido. Y luego hablar otros dos días del próximo encuentro"*. Cuando le preguntaron si podía describirse como un entrenador especial, haciendo alusión a la conferencia de presentación de José Mourinho en Chelsea en 2004 en la que se describió como *"The especial one"* y determinó el que sería su apodo desde entonces, Klopp generó las risas de todos los presentes en la sala de prensa: *"No quiero describirme a mí mismo, soy un tipo muy normal. Soy "The normal one"*. Aunque a la hora de hablar de los fanáticos de su nuevo club sí los catalogaría de esa manera: *"La intensidad con la que la gente vive el fútbol en Liverpool... No es un club normal. Es un club especial"*.

El plan era inyectar grandes dosis de energía positiva en las venas de los hinchas del Liverpool y lo estaba logrando a la perfección. *"Cuando dejé el Dortmund dije que no es tan importante lo que la gente piensa cuando llegas, sino lo que piensa cuando te vas"*, aunque también advirtió que la impaciencia no sería una buena aliada: *"Por favor, dennos tiempo para trabajar. Creo que, si dentro de cuatro años estoy sentado aquí, en el camino habremos ganado algún título. Estoy seguro".*

Jürgen Klopp es un declarado fanático de Los Beatles, y en octubre de 2015 tenía un deseo que quería cumplir incluso antes de ser presentado como entrenador del Liverpool. Conocer el mítico club *The Cavern* iba a ser el primer paso del alemán en tierras inglesas, para de esa forma comenzar a respirar parte de la mística que envolvía a la ciudad.

Un grupo poco conocido, llamado Fab Four, llegó el 9 de febrero de 1961 a The Cavern para dar a conocer su música en el centro de Liverpool. Aquel bar estaba ubicado detrás de un almacén de ladrillos y esos cuatro muchachos no tenían ni idea que tiempo más adelante pasarían a llamarse *The Beatles*, y cambiarían la historia de la música para siempre. Klopp lo tenía claro desde pequeño: *"Son la mejor banda del mundo. Mi madre siempre lo decía: 'los número uno son Los Beatles'".* El día en el que Jürgen fue a conocer The Cavern, mientras la guía explicaba el año en el que fue fundado el lugar, el entrenador completó la frase: *"se fundó en 1957".* A esa altura ni siquiera podía imaginar que tiempo más adelante, la historia del club de Meryside lo catalogaría como el quinto integrante de la banda que alguna vez formaron John Lennon, Paul McCartney, George Harrison y Ringo Starr.

En su presentación el 9 de octubre de 2015, el alemán pareció entender a la perfección la presión a la que estaba sometida la institución para lograr algún título después de tanto tiempo, y la conferencia de prensa se llenó de frases para subir a su tren a todos los fanáticos. Jürgen tomaba a un grupo de futbolistas que solo había convertido ocho goles en la misma cantidad de jornadas, con sus tres delanteros principales (Danny Ings, Daniel Sturridge y Christian Benteke) marcando dos goles cada uno. Mientras que, a nivel defensivo, había recibido diez tantos, y los únicos dos equipos con peor registro en este sentido eran el Bournemouth y el Aston Villa.

En cuanto a la situación que vivía el equipo también fue muy claro: *"Cuando hay problemas, hay que resolverlos. Tenemos*

*buenos defensores, delanteros y centrocampistas. El primer partido es ante el Tottenham. Debemos formar un equipo para ese compromiso. Quiero a estos chicos. No digo que ante el Tottenham veremos al nuevo Liverpool, pero espero ver un poquito de ese nuevo Liverpool. Eso estaría bien. Estas cosas llevan tiempo".*
También dejó alguna frase similar a la que dio en su presentación en el Borussia Dortmund, en la que hablaba no solo de jugar bien tácticamente, sino en la necesidad de añadirle pasión: *"Yo creo en una filosofía de juego que es muy emocional, muy rápida y potente. Mis equipos deben jugar a todo gas y llevar cada partido hasta el límite".*

Según el líder espiritual indio Osho, *"el ser humano inventó el lenguaje porque no se podía comunicar"*, y uno de los grandes desafíos que plantea el fútbol, es la comunicación entre el entrenador y sus deportistas. Pero en aquella rueda de prensa Klopp había sido muy claro. Se dirigía tanto a futbolistas como a hinchas, y también a medios de comunicación. No solo importaba *"lo que se decía"*, sino *"cómo se decía"*. Fue media hora de pura intensidad en el mensaje para que se decretara en todo Liverpool el estado de ilusión.

Algunos de los principales referentes históricos del club quedaron a los pies del entrenador:

John Riise: *"¡Nunca había visto una mejor conferencia de presentación para un entrenador! La energía con la que habló, ¡todo! ¡Denle tiempo a este tipo!".*

Stan Collymore: *"Llevo todo el día viendo las entrevistas a Klopp. Ha llegado el antídoto a lo superficial. Un rebelde. Lo apruebo".*

Steven Gerrard: *"Es lo mejor que le podía pasar al Liverpool".*

Kenny Dalglish: *"Creo que nuestros hinchas tienen que ajustarse los cinturones. Realmente lo van a disfrutar".*

Ian Rush: *"Lo que Jürgen hizo en Borussia Dortmund fue muy bueno, me gusta ese estilo de juego. Y ahora es entrenador del Liverpool, ¡eso solo puede ser aún mejor!".*

Por último, el alemán dejaba una frase que vista hoy, luego de un tiempo, suena a premonitoria: *"Estoy aquí porque creo en el potencial del equipo. En este momento no somos el mejor equipo del mundo, pero a quién le importa. Queremos ser el mejor equipo del mundo en el futuro".*

Hacía mucho tiempo que el Liverpool no jugaba como el gigante que era. Desde la gran campaña 2013/14, que se escapó sobre el final con el recordado resbalón de Gerrard, el club parecía hundido en una transición que no veía la luz al final del túnel. El último gran éxito databa de la Champions League 2004/05, y si se habla de la liga inglesa había que remontarse a la campaña 1989/1990, tres años antes de que pasara a ser la Premier League, una auténtica locura.

Era hora de despertar y Jürgen Klopp había encontrado su nuevo hogar al noroeste de Inglaterra. Antes de partir en su camino para recorrer los escenarios más importantes del fútbol europeo, se aseguró de que en el tren que pasaba por Liverpool no quedará un solo lugar libre. Luego de su descanso, el alemán tenía una nueva banda para tocar heavy metal, restaba tiempo para afinar sus instrumentos y modificar algunos intérpretes de la obra que más adelante se apropiaría del título más importante del mundo a nivel clubes. El recorrido iba a ser muy largo, pero ya tenía su primer paso dado. Klopp y el Liverpool se habían unido para recuperar al gigante inglés y volver a hacer historia. El *quinto Beatle* estaba en la ciudad.

# 3.2
# INTRODUCCIÓN AL GEGENPRESSING

## "Si hubiera visto al Barcelona cuando era chico, me hubiera dedicado al tenis"

Si bien lo de Klopp ha sido revolucionario desde varios puntos de vista, su principal arma, o su marca registrada, es lo que en Europa se conoce como *Gegenpressing*. La palabra es obviamente de origen alemán y a pesar de no tener una traducción exacta al español, el concepto puede resumirse como "presionar, robar y atacar".

La idea aparece en un momento en que el futbol se dividía en dos grandes ramas. Por un lado, los equipos que preferían los ataques mediante el toque de pelota entre jugadores que se asocien en corto, y por otro los que pretendían lastimar al rival con contraataques rápidos. El *Gegenpressing* sería una combinación de ambas, y fue puesto en práctica por distintos entrenadores desde hace ya varios años, siendo Jürgen Klopp (primero con su Borussia Dortmund y luego en Liverpool) el cultor más reconocido de la actualidad.

El primer paso para entender esta forma de moverse tácticamente tiene que ver con el convencimiento hacia los jugadores de llevar a cabo la presión necesaria sobre el rival tras la pérdida de la pelota. Esta presión debe ser necesariamente inmediata luego de que la posesión pase al otro equipo, y siempre va a depender de los jugadores que posea, tanto el rival, como el propio equipo. Una vez llegado a Liverpool, el mismo entrenador fue consultado por la cadena *Sky Sports* sobre este tema y lo explicó de una forma muy sencilla en una pizarra. El video luego se volvió viral: *"Todo es cuestión de temporizar. Si la presión es muy alta no juegan por abajo, tiran el balón largo y te pueden generar situaciones de esa manera".* De esta forma mostró qué ocurre si la presión es desorganizada y demasiado alta; por eso si el *Gegenpressing* se aplica de modo correcto, permite lograr una estabilidad defensiva.

Cuando se pierde la posesión de la pelota es cuando más desorganizado se encuentra un equipo, por lo que, si se logra esa presión correcta y veloz cerca del arco rival, se evita que el adversario se organice a nivel defensivo. Si la recuperación es rápida, lo que se consigue, además, es la posesión de la pelota en campo contrario y con los jugadores que iban a atacarnos distribuyéndose para ese fin. Lo que generará muchos espacios para un contraataque con un rival abierto y con esto, la tercera ventaja de este sistema: mayor presencia ofensiva.

Como decíamos anteriormente, si hay algo que es fundamental a la hora de aplicar este concepto, es la mentalidad de los jugadores y, sobre todo, la práctica: *"El gegenpressing, esto que a Klopp le encanta, no siempre ha sido fácil de asimilar. Hemos aprendido a interpretar al rival para saltar a la presión. El rival nos da el ritmo. Es algo que aprendes tras dos años de práctica con los mismos compañeros. Acabas por interpretarlo durante los partidos y se parece a 'tomarle el ritmo'. Depende de cuándo dan los rivales determinado pase y a quién se lo dan. Esa es la señal para todos. Nadie da una voz. Sabemos en qué situaciones presionar y en qué situaciones replegarnos y juntarnos. Se trata de leer al rival. No necesitas que un compañero acuda para ir tras él. Cuando ves que el contrario hace determinado pase, no necesitas mirar atrás. Sabes al 100% que todos tus compañeros se moverán tras de ti. Es el rival el que te da el* tempo *dependiendo de cómo y con quién juegan el balón. Esto es un pequeño secreto. Pero puedo decir que el ritmo de nuestros movimientos de pressing lo marca el rival"*, declaraba el extremo senegalés Sadio Mane a mediados de 2018 en una entrevista concedida al diario *El País*.

Los ingleses Jonathan Wilson y Joe Devine popularizaron un video de tres minutos y medio en el que se enumeran las principales características de este tipo de juego, y muestran que Klopp considera que un defensor rival que acaba de recuperar la pelota es "vulnerable", ya que al estar concentrado en labores defensivas aun no apreció la distribución de sus compañeros en el terreno de juego. Por eso es necesario ir sobre él y asfixiarlo lo antes posible. Sin embargo, mientras que el técnico alemán prefiere rodear al hombre con la posesión de la pelota, hay algunas variaciones con otros entrenadores, como por ejemplo *Pep* Guardiola, que ve con mejores ojos cortar las líneas de pase para los posibles receptores. O Jupp Heynckes, que cuando dirigía al Bayern Múnich pretendía que un jugador presionara al portador de la pelota y el resto marcaran las posibles líneas de pase. A pesar de todas estas variantes, siempre habrá una idea en común: velocidad y organización. Recuperar el balón lo más rápido y alto posible.

Como bien lo explica la academia española de entrenadores AFOPRO: *"Después de volver a ganar el balón, se puede contragolpear al equipo que iba a salir al contraataque. Estarán desorganizados tras, probablemente, haber buscado la profundidad y amplitud de su equipo, mientras que, por el contrario, nosotros estaremos organizados y compactos alrededor del balón, permitiendo un ataque inmediato o una nueva circulación del balón, según la idea del entrenador".*

Por todos estos motivos, Klopp considera a la presión tras perdida como *"el mejor mediapunta (o constructor de juego) del planeta"*. Pero a su vez también cree que para que funcione, hay que estar 100% comprometido, porque el jugador que pierde la pelota, en el momento de la pérdida, es el que está en mejor posición, y si puede debe iniciar el movimiento: *"El mejor momento para ganar la pelota es inmediatamente después de que tu equipo la pierde. Cuando el rival todavía está buscando orientarse para dar el primer pase, cuando ha concentrado su esfuerzo en correr para interceptar o para ir al suelo y, distraído en ese gasto de energía, ha desatendido el juego. Ahí es cuando el contrario es más vulnerable",* explica Klopp.

*"El gegenpressing es superior al mejor jugador del mundo en cuanto a crear ocasiones de gol. Te da la opción de tener la oportunidad de tener el balón en una zona donde normalmente necesitas 5, 6 o 7 pases para generar ocasiones. Si pierdes el balón allí y lo vuelves a recuperar en muy pocos segundos, estarás generando ocasiones de gol inmediatamente. Cada equipo tiene que recuperar el balón, nosotros decidimos ser valientes e ir por el contrario. Todo radica en el sistema",* agregaba el entrenador en septiembre de 2018 en una entrevista con la radio francesa *RMC Sport.*

Desde su arribo a Dortmund se entendió la idea de ser vertical, la presión y el juego físico, más aún al observar la clase de refuerzos que llegaron al club en los primeros dos años, como por ejemplo Sven Bender, Lucas Barrios y Kevin Grosskreutz, quienes complementados con jugadores como Nuri Sahin y *Kuba*

Blaszczykowski permitían sacar conclusiones lógicas de lo que pretendía el técnico nacido en Stuttgart.

Como explicó el genial periodista catalán Martí Perarnau en un artículo de *Marca* hace ya varios años, el verdadero objetivo que debe tener un equipo de fútbol es correr con sentido, *"no se trata de hacer esfuerzos demagógicos para el aplauso tribunero, ni de excusarse en el talento propio para ausentarse del esfuerzo"*. Debe tratarse de que haya un patrón de juego *"que exprima las cualidades individuales y del colectivo en relación con ese instrumento básico llamado pelota"*. Esto es en una síntesis brillante lo que consiguió Klopp durante la mayor parte de sus siete años al frente del club *Borusser*.

Iniciando en un principio con Sebastian Kehl como eje del centro del campo, y más adelante con las incorporaciones ya mencionadas, consiguió un mix extraordinario entre la clase y el juego físico. Más adelante con la jerarquía de nombres que le dio el salto de calidad, como Lewandowski, Gündogan, Hummels, Reus y la aparición de Mario Götze, terminó de pulir su máquina de *Gegenpressing*.

Aquel Dortmund formaba un embudo en el que metía al rival, sin una presión tan alta, sino esperándolos en su zona de confort, donde de repente aparecían cinco o seis jugadores amarillos para rodearlos. Por eso, preferían a los equipos que salían en corto desde abajo, por encima de los que jugaban las pelotas largas.

Una vez llegado a Liverpool, Klopp sabía que su plantel no ofrecía una capacidad destinada a que la presión se ejerza en el mediocampo, donde contaba con James Milner, Jordan Henderson y Adam Lallana (sumados a Lucas Leiva y Emre Can como variantes). Mientras que prontamente se dio cuenta de que Coutinho no podía oficiar de Gündogan por sus cualidades mucho más ofensivas. Entonces decidió que la presión sería un poco más arriba. En ese entonces, Daniel Sturridge, Roberto Firmino y Divock Origi eran los que se disputaban dos lugares en el once titular, un poco en menor medida también Danny Ings, sumados al propio Coutinho que era una fija en la generación de juego.

En la temporada 2016/17, ya con Sadio Mané en el equipo, este plan le funcionó para contragolpear a los equipos grandes de la Premier. No perdió ninguno de los diez partidos que disputó contra ambos equipos de Manchester, y tampoco con Chelsea, Arsenal y Tottenham. Ganó cinco y empató los otros cinco para ubicarse quinto en la tabla: *"No soy la clase de persona que va y dice cosas como: '¡Vamos a conquistar el mundo!'. Pero vamos a conquistar el balón. ¡Cada maldita vez! Vamos a cazar la pelota, vamos a correr más, vamos a luchar más..."*. Y el técnico *Heavy Metal*, que sabía desde un principio cómo entrar en el corazón de la prensa inglesa continuó: *"Me gusta cuando hay choques y estruendo por todas partes, un sentido de todo o nada, pura adrenalina y nadie capaz de respirar"*.

En la 2016/17 se sumó el egipcio Mohamed Salah al tridente ofensivo, que actuó en varias ocasiones como un cuarteto durante esos primeros seis meses en los que Coutinho permaneció en Anfield. Luego, historia conocida, pasó al Barcelona.

Cuando el que es hoy el tridente más peligroso del mundo se aceitó, pudimos observar el *Gegenpressing* en su máximo esplendor. Con Firmino como bandera para activar el movimiento, Mané y Salah acompañándolo, sumados a un mediocampo más físico con Georgino Wijnaldum, Fabinho y Naby Keita (o Henderson y Milner a la hora de la rotación) y la jerarquización de una defensa prácticamente nueva con Virgil van Dijk como pilar, el Liverpool de Klopp se convirtió en un equipo especialista en aprovechar el desorden de los equipos rivales con movimientos rápidos y combinaciones de pases cortos.

La presión alta del Liverpool se da con un esquema 4-3-3. Firmino ocupa el espacio entre los centrales mientras que sus dos socios africanos se ubican entre los centrales y los laterales. De esta forma, tres jugadores son suficientes para entorpecer el inicio de juego de un oponente. Si la primera presión es superada, en el medio también hay movimientos automáticos que dejan solo a un receptor elegido previamente, que obliga al rival a jugarle la pelota. Una vez orientado el pase por el propio Liverpool, tres o cuatro jugadores se le van encima para sacarle la pelota.

Sin embargo, la característica fundamental es como se mencionaba al comienzo, la capacidad de Klopp para convencer principalmente a los tres jugadores encargados del ataque, de todas las ventajas que puede conseguir un equipo en el que los diez hombres defienden activamente, ya que el tridente ofensivo es fundamental a la hora de la recuperación, y así lo explica el entrenador alemán: *"En el futbol de hace años, veíamos a los futbolistas actuar como 'quarterbacks', realizando pases muy largos, pero si perdías el balón ahí, de esa forma, no tenías tiempo para recuperarla porque el equipo estaba separado. Lo que necesitas para realizar el Gegenpressing es estar preparado mentalmente, estar al 100% listo para tener la pelota, para perderla y volverla a recuperar. Creer en ello. El jugador más cercano es el que inicia la presión y luego le sigue el resto. No vas a necesitar presionar 90 minutos de esta manera, porque gracias a esta técnica, tendremos mucho el balón. Nosotros no corremos más que nuestro rival, pero sí que lo hacemos más intensamente. Es la manera más eficaz de recuperar la pelota".*

Ahora bien, como todo sistema, también tiene sus puntos débiles. El mayor problema, sea cual fuere la variante elegida por cada entrenador, es saber cuándo frenar esa necesidad de ir a presionar alto para reorganizarse en campo propio. Para eso lo que propone Klopp es que la presión sea selectiva. La idea consiste en definir mediante el análisis del rival al jugador menos dotado técnicamente para que sea presionado cuando reciba la pelota, y si esto no ocurre, replegarse para esperar atentos el ataque.

Si bien el *Gegenpressing* es una táctica para organizar un ataque, es fundamental el orden y la armonía de movimientos de los diez jugadores de campo para evitar lo que podría ser un gol recibido a causa de un desajuste. En cuanto a esto, es especialmente importantes trabajar la defensa de las pelotas largas que puede enviar el defensor rival cuando estamos presionando, una clara prueba de esto fue la táctica utilizada por Guardiola en el 2013 cuando dirigía al Bayern y sabía que el Dortmund de Klopp intentaría mantenerse presionando durante la mayor parte del juego. Ya que como explicó el medio francés *Eurosport*: *"En el Bayern ha sido un recurso empleado con asiduidad. Pep recurrió al uso de balones largos por parte de Dante. Desde entonces, y aún más desde el fichaje de Xabi Alonso, es una herramienta muy potente del equipo de Guardiola. Lo que sorprende es que sorprenda que él lo use. Quizás se conoce menos el modelo de juego de Guardiola de lo que imaginamos".*

Por último, se deben mencionar los que según la academia AFOPRO son los cuatro momentos del *Gegenpressing*. Primero se encuentra la presión tras pérdida, calificada como la principal señal de identidad. Luego el ataque relámpago, basado en la velocidad de la que tanto hablamos. En tercer lugar, aparece la defensa organizada, para evitar un ataque del rival mientras se produce la presión. Y, por último, la transición ofensiva, que marcará la finalización de todo el trabajo previo.

Si se logran llevar a cabo de manera perfecta los cuatro pasos anteriores, probablemente estemos ante un equipo de Jürgen Klopp. Y también seguramente se pueda observar al entrenador enloqueciendo en el banco, como tantas otras veces, porque su equipo sacó provecho del *Gegenpressing*.

## 3.3
## YOU'LL NEVER WALK ALONE

"Quizá soy el entrenador con más suerte del mundo"

Cuando se mencionan las palabras que dan título a este capítulo probablemente la primera imagen que se venga a la mente sea la de la famosa tribuna del Liverpool levantando sus bufandas y entonando sus estrofas antes de cada partido. Pero la canción original fue compuesta para un musical de Broadway por los estadounidenses Richard Rodgers y Oscar Hammerstein. La obra se llamaba "Carousel", y tuvo mucho éxito en 1945. Se estrenó en el Majestic Theatre, en el centro de Manhattan, y sus autores fueron reconocidos con el paso del tiempo como dos grandes leyendas del teatro musical.

En aquella historia de amor interpretada por Jay Clayton (Julie) y John Raitt (Billy), la joven pierde a su novio en sus brazos tras ser asesinado por la policía en un intento de robo frustrado. Mientras que una amiga de la protagonista le canta el famoso *"Nunca caminarás sola"* para consolarla.

Lo que los autores no imaginaban era la increíble popularización de su éxito en Inglaterra, gracias a las voces de grandes estrellas estadounidenses como Frank Sinatra y Elvis Presley. Pero antes de eso, una pequeña banda de Liverpool llamada *Gerry and the Peacemakers* llevó el tema a tierras inglesas en 1963, y la nueva versión de la canción se ubicaría durante muchísimo tiempo en el puesto número uno de Gran Bretaña durante aquel año.

Al encontrarse también en el clásico Top 10 de la *BBC*, el tema sonaba de fondo en el estadio de Anfield antes de cada partido que el Liverpool jugaba como local. Cuando la lista de temas terminaba, los fanáticos continuaban cantando al ritmo de *Gerry and the Peacemakers*, debido a su mensaje de unión y fidelidad.

Al pasar el tiempo, la canción dejó de sonar por los altoparlantes para darle lugar a otros éxitos de la época, pero fue el por entonces entrenador Bill Shankly quien determinó que "You'll never walk alone" siguiera sonando debido a la gran conexión que la letra generaba entre los hinchas y el equipo. Desde entonces se convirtió en un himno para los *Reds*, e incluso "The Kop", la popular tribuna del Liverpool, aparece de fondo cantando el "Nunca caminarás solo" durante el comienzo y el final de la canción "Fearless" (sin miedo) de *Pink Floyd*.

Una vez en Europa, varios equipos del continente la adoptaron como propia. El Celtic de Escocia fue uno de los primeros, al que se sumaron varios clubes alemanes, como por ejemplo los dos que dirigió Jürgen Klopp: *"Quizá soy el entrenador con más suerte del mundo, porque trabajé en dos clubes alemanes donde se canta esa canción: el Mainz 05 y el Borussia Dortmund. Y luego, el destino me ha puesto en el Liverpool, que es el lugar original".*

El 13 de marzo de 2016, el Borussia Dortmund enfrentaba al Mainz en la jornada 26 de la Bundesliga y el equipo local publicaba este comunicado en su cuenta de Twitter (@BVB): *"Durante el partido, sucedieron dos trágicos sucesos y dos hinchas han tenido que ser reanimados. Uno desgraciadamente no sobrevivió y murió. Damos el pésame a la familia. El otro aficionado logró ser reanimado a tiempo y se encuentra estable".* Al final del partido, la noticia ya era de público conocimiento y todos en la Südtribüne, reconocida por su característico muro amarillo, levantaron sus bufandas y cantaron el "You'll never walk alone", acompañados por el resto del Signal Iduna Park. Los jugadores de ambos equipos también se acercaron para homenajear al hincha fallecido.

Unas horas después de finalizado el encuentro, el presidente del Dortmund, Hans-Joachim Watzke, se expresaba mediante otro comunicado: *"El bufandeo mientras cantaron el 'You'll never walk alone' después del partido me obliga a mostrar un respeto increíble. Esto demuestra lo profundamente arraigados que están conceptos como el honor y el respeto por los demás, y cómo pueden ser expresados en un tiempo muy corto. Ante eso, no me queda más que quitarme el sombrero".*

Mucho tiempo después, al ser entrevistado por el diario madrileño *Marca* en 2017, Klopp fue consultado por Juan Castro acerca del sentimiento que le generaba escuchar el "You'll never walk alone". El DT se declaró como un *"romántico del futbol"* y descartó que se trate de una canción a la cual se pueda acostumbrar algún día, para de esa forma dejar los sentimientos de lado: *"Nunca deja de* emocionarme esa canción. La siento muy adentro. Creo que genera una atmósfera en la que todos disfrutamos, y, la verdad, el resto de la vida ya es demasiado seria como para no ser feliz en un campo de juego. Aunque el fútbol no sea lo más importante de la vida, todos queremos ganar cuando venimos a este estadio. Y si vencemos, disfrutamos juntos; si perdemos, sufrimos juntos. En la vida afrontamos los problemas solos, y aquí sabes que disfrutas o sufres junto a mucha gente... y junto a 30 millones de fans más en todo el mundo. Es un sentimiento fuerte de una gran comunidad, lo cual no resuelve los problemas, pero ayuda a hacerlo".

Hoy en día la banda alemana *Die Toten Hosen*, en la que es una de las mejores versiónes de este tema, cierra todos sus recitales cantando esta misma canción: *"Le da al final de cada show una gran atmósfera cuando todo el público la canta. Creo que el mejor momento fue el día en el que Peter Crouch (por entonces jugador del Liverpool) la cantó con nosotros en el escenario después de unas cuantas cervezas... Aunque una semana después anunció que firmaba para Tottenham"*, cuenta, entre risas, el baterista Vom Ritchie.

A pesar de no ser ingleses se califican como hinchas fanáticos del Liverpool FC y su líder, Campino, siempre intenta hacerse un hueco para visitar Anfield: *"Soy del Liverpool desde chico. De casualidad a través de los años hemos conocido algunos jugadores, empezando por Karl-Heinz Riedle. En los últimos años han jugado varios alemanes y de alguna forma siempre tomé contacto con ellos, también me hice amigo de varios. Markus Babel y Didi Haman se convirtieron, a pesar de que ya no juegan en el Liverpool, en grandes amigos míos"*. El propio Jürgen Klopp tuvo un encuentro con la banda luego de la derrota con el Real Madrid en la final de la Champions 2018 y un video cantando con ellos a las seis de la mañana se volvió viral. La letra decía lo siguiente: *"Vimos la Copa de Europa, el Madrid ha tenido toda la p... suerte, prometemos seguir siendo geniales, la traeremos de vuelta para Liverpool"*. Una letra que, dicho sea de paso, el entrenador cumplió al año siguiente.

Actualmente en Liverpool, la obra maestra que un día pensaron Richard Rodgers y Oscar Hammerstein es considerada uno de los emblemas de un club ubicado a poco más de cinco mil kilómetros de la ciudad de Nueva York. El capitán de ese equipo lleva el título de su canción en su brazalete y no hay partido en el que sus estrofas no se entonen como muestra de un amor incondicional y de un lazo fiel que nunca se podrá quebrar. Un amor como el que un día sintieron Julie y Billy y que hoy se ve tan bien representado en Anfield.

## 3.4
## EUROPA LEAGUE 2015/16: LA EXCUSA PERFECTA

### "Este es el Liverpool que conocí antes de venir"

El optimismo en Liverpool con la llegada de Klopp marcaba límites estratosféricos, pero mantener ese nivel a tope iba a ser muy complicado. Con un andar difícil en la Premier League, competición en la que asumió con el equipo en mitad de tabla, el foco debía ser otro. En Inglaterra hay un torneo increíblemente despreciado, al que todos intentan ingresar cuando se va acabando la temporada, pero una vez clasificados no lo juegan con la intensidad o las ganas que amerita un torneo internacional. La UEFA Europa League les brinda a los equipos ingleses un beneficio más económico que deportivo, y una vez que logran el objetivo de clasificarse mediante el posicionamiento en la Premier, vuelven a dejarlo de lado para prestarle nuevamente más atención al torneo doméstico. Terminan jugando con planteles alternativos por el apretado calendario que supone, en especial, el fútbol en Inglaterra. Un ciclo al que Jürgen Klopp decidió ponerle fin para comenzar a despertar al monstruo rojo.

El equipo venía de hacer un muy buen partido ante el Tottenham y los números marcaban que en total los jugadores del Liverpool habían corrido 116 kilómetros. Jamie Carragher poco a poco se iba haciendo fan del nuevo fútbol que se veía en Anfield: *"Tan pronto como pierden la pelota se los puede observar yendo a presionar hasta que la recuperan de nuevo. Están organizados y se observa que han trabajado mucho en los primeros dos o tres días de entrenamiento"*. Klopp sabía que no iba a ver al nuevo Liverpool, pero quería *"ver un poco de ese nuevo Liverpool"*, y aquel empate ante un equipo ya asentado como el de Mauricio Pochettino, hacía que el balance le diera más que positivo.

El 26 de enero de aquel 2016 la Premier League dejaría un gran recuerdo para los hinchas del Liverpool, un gol de Adam Lallana a los 94 minutos le daba la victoria a los de Klopp ante el Norwich, con un 5-4 que será recordado durante años. Tras ir perdiendo 3-1, luego Lliverpool se puso 4-3 en ventaja, pero el gol de Sébastien Bassong en el minuto 90 parecía decretar un empate increíble sobre el epílogo. Entonces fue cuando Lallana desató la explosión de Jürgen Klopp con un zurdazo y el entrenador sufrió la rotura de sus gafas en el festejo con sus jugadores: *"No es la primera vez que me pasa, Sahin ya me rompió unas en una victoria ante el Bayern y ahora están expuestas en el museo del Borussia Dortmund"*, recordó el técnico alemán y luego confirmó que iba a guardar estas últimas por si alguna vez las querían en el museo del Liverpool. Por último, le consultaron qué le había parecido la polémica después del gol en el que los locales reclamaron un penal: *"No he podido verla con claridad"*, soltó Klopp entre risas y aseguró que: *"Tengo otro par de gafas en casa pero va a ser difícil encontrarlas sin las gafas…"*.

En la Europa League, Brendan Rodgers había dejado dos empates en la fase de grupos, el primero frente al Bordeaux, y el segundo recibiendo al Sion. Con solo dos puntos de seis, la clasificación a los dieciseisavos de final iba a necesitar el máximo de entrega. Y quien mejor que Jürgen Klopp para exigir a un equipo que ya de por sí estaba muy motivado. Daniel Sturridge se recuperaba de una lesión y su presencia era duda para el primer partido del entrenador alemán en Anfield: *"Necesitamos a Daniel y si está listo para el jueves, seguramente juegue. Confío 100% en este jugador"*. Sturridge no llegó a recuperarse y ni siquiera pudo estar en el banco de suplentes, pero en la misma Europa League donde todos los equipos ingleses ponían suplentes para no descuidar la Premier, Jürgen Klopp esperaba hasta último minuto al delantero titular. La excusa que necesitaba todo Anfield para ir por la gloria estaba entre las cejas de Klopp y el objetivo ya estaba puesto. Al final de la temporada había que levantar la UEFA Europa League.

En los siguientes cuatro partidos de fase de grupos, Liverpool obtuvo ocho puntos de los doce en juego, y con eso pudo sellar el pase a la siguiente ronda. El empate como visitante ante el Sion, en la última jornada, los confirmaba como líderes del grupo y el entrenador había observado lo que quería: *"Lo primero que hay que hacer en partidos como este es mostrar carácter, y eso es exactamente lo que hicimos"*. Escalón por escalón, y cumpliendo con los pequeños desafíos que se iban poniendo por delante, el Liverpool pasaba otra prueba.

Las banderas alemanas ya se observaban cada vez de manera más habitual en las tribunas de Anfield Road, y la cuenta oficial del Liverpool en Twitter se veía obligada a crear un nuevo usuario en idioma germano: *"Desde el nombramiento del entrenador, el tráfico digital desde Alemania ha aumentado significativamente, convirtiéndolo en el segundo país internacional que más nos visita, luego de Estados Unidos. Nuestra nueva cuenta de Twitter en alemán (@LFC_Deutsch) llevará las noticias directamente a los fanáticos en su propio idioma, acercándolos aún más a Anfield"*. El efecto Klopp estaba en marcha desde hacía tiempo y nadie quería que se detenga.

Ver banderas alemanas en la tribuna de Anfield no podía ser un detalle que pasara desapercibido. Durante la Segunda Guerra Mundial, Liverpool cargó con el triste rótulo de ser la segunda ciudad inglesa más bombardeada por los nazis, solo por detrás de Londres. Unas 4000 personas murieron por esta causa en lo que se denominó *"Blitz"* entre 1940 y 1941. Además, solo tres jugadores alemanes se habían puesto la camiseta del club en toda su historia: Markus Babbel, Didi Hammann y, de forma más reciente, Emre Can.

Una enorme cantidad de buenos equipos estaban en el bolillero esperando el sorteo que marcaría el rumbo de la Europa League. Tottenham, Manchester United, Borussia Dortmund, Napoli y Sevilla se presentaban como los principales candidatos al título, sumados, por supuesto, al equipo de Klopp. El emparejamiento cruzaba a los *Reds* frente al Ausburgo, lo que suponía un punto a favor del entrenador alemán por haberlo enfrentado tantas veces en Bundesliga. El partido de ida se desarrolló en tierras teutonas, fue empate 0-0 y en la conferencia de prensa posterior, Klopp, se negó a responder en inglés debido a que *"ahora estamos en Alemania, y aquí responderé en mi idioma"*, lo que generó algunas asperezas con los medios ingleses. Más allá de aquel detalle, Liverpool había sido superior en la cancha y el entrenador no se iba del todo conforme con la igualdad: *"El problema es que, con nuestra calidad, deberíamos habernos llevado más. Tengo que ser paciente, pero en realidad no soy un hombre paciente. Creo que podríamos haberlo hecho mejor"*. La primera vez que Klopp iba a necesitar el apoyo de Anfield para lograr una clasificación había llegado. Y si bien el juego no fue para nada tranquilo, el 1-0 a favor con gol de Milner de penal fue suficiente para obtener el pasaje a octavos.

Al día siguiente, el sorteo decretaba *derby* en Inglaterra. Manchester United sería el rival que debían vencer si querían seguir avanzando, y Klopp saltaba de alegría: *"Es genial. Nos merecemos estos juegos. Obviamente que no va a ser fácil, pero puedes hablar con mi cuerpo técnico, cuando ayer me preguntaron '¿a quién quieres?', dije 'Manchester United'"*.

La rivalidad entre ambos equipos tiene sus raíces en 1893, en plena Segunda Revolución Industrial, cuando las ciudades de Liverpool y Manchester luchaban por el producto de moda en aquellos tiempos: el algodón. En ese entonces Liverpool tenía el control sobre el insumo, ya que la costa del rio Mersey daba las mejores condiciones para recibir el algodón en el puerto de la ciudad. Desde Manchester debían pagar un arancel en forma de peaje para que el algodón llegara en barco desde Liverpool. Sin embargo, todo cambió con la construcción del Manchester Ship Canal durante ese 1893. Considerada una obra monumental para la época, sirvió para transportar la mercadería a Manchester sin necesidad de pasar por Liverpool, lo que generó discusiones arancelarias y, sobre todo, una rivalidad entre las ciudades vecinas que continúa hasta nuestros días. El primer partido de fútbol que ponía en disputa el honor entre ambas ciudades se produjo en Blackburn, el 28 de abril de 1894. Fue triunfo por 2-0 para el Liverpool frente al Newton Heath (actual Manchester United). El 12 de octubre de 1895 se enfrentaron en Anfield, donde el Liverpool se impuso 7-1 en la mayor goleada de la historia entre ambos clubes. La rivalidad se mantiene hasta hoy entre el máximo ganador inglés de la Champions League y el máximo ganador en Premier League. Todo empezó por el algodón en 1893 y continuaría ahora en Europa League en el 2016.

Si bien este no era el torneo más espectacular, un cruce con el histórico rival representaba un salto enorme para que los pocos incrédulos que quedaban se volvieran creyentes: *"La vida nos da la oportunidad de mejorar nuestra última actuación frente a ellos (derrota 1-0 en la Premier, apenas dos meses antes) y eso es lo que tenemos que hacer"*, expresaba el alemán.

Klopp tenía el partido que necesitaba para elevar la vara. Era el rival ideal para demostrar que podía sacar un extra de sus dirigidos.

Alex Ferguson, el entrenador más importante en la historia del Manchester United (lo comandó entre 1986 y 2013) se mostraba preocupado: *"Lo único que no quieren los hinchas del United es perder con el Liverpool. El trabajo que Klopp hizo en Dortmund fue fantástico. Lo conozco bastante bien de los seminarios de entrenamiento, y creo que va a marcar la diferencia en ese club con su personalidad, impulso y conocimiento. Las cosas ya están mejorando para ellos".*

El andar en la Premier continuaba siendo muy irregular, con derrotas ante Newcastle, Watford y West Ham en poco más de un mes. Pero cada jueves cuando había que jugarse una clasificación en la Europa League, el Liverpool disfrutaba de cada batalla. Lo mismo ocurrió frente al Manchester United en los octavos de final. En la ida como local Anfield era un hervidero. Parecían haber vuelto las viejas épocas de Champions League, cuando toda la ciudad se preparaba para ir a ver la contundente victoria de su equipo.

Klopp alineaba un mediocampo de combate con Henderson y Can, sumados a Coutinho y Lallana para ganar duelos por los costados. Y adelante la calidad de Firmino y Sturridge. Todo estaba listo para recibir al equipo de Louis van Gaal, decidido a esperar y jugar de contra con Juan Mata como lanzador, y Martial junto Rashford para aprovechar los espacios.

Liverpool jugó un partidazo, y sus dos delanteros convirtieron para el 2-0 final. El resultado podría haber sido bastante más holgado si no fuera por la gran noche del español David de Gea en el arco. Pero lo más importante era que Klopp finalmente había conocido la verdadera atmósfera que podía generar Anfield. Faltando treinta minutos para el inicio de la contienda ya no había lugares libres y hasta Van Gaal se rendía ante el público: *"El Liverpool creó una atmósfera fantástica. No pudimos hacer frente a su presión, pero aun así tenemos posibilidades gracias a De Gea que estuvo fantástico".* La mística estaba de regreso en uno de los templos del fútbol mundial.

De cara a la revancha el único cambio era el regreso de Alberto Moreno al once titular, el resto del equipo no sufría modificaciones y la idea era mantener el mismo plan. Esa era una de las premisas de Klopp, encontrar una identidad que fuera más allá de la dificultad de los partidos. El gol de Martial a los treinta minutos del primer tiempo tampoco alteró el guion del visitante. En la segunda mitad el golazo de Coutinho con gambeta a Varela y vaselina a De Gea incluidos, cerró el 1-1 final. Sin embargo, todos sabían que las cosas se habían definido en casa. Klopp necesitaba volver a convertir a Anfield en una fortaleza, como alguna vez lo fue el Signal Iduna Park, y un duelo internacional frente al Manchester United era la forma perfecta. Una noche soñada había despertado a toda la ciudad y Klopp estaba agradecido: *"Nunca podré olvidar el ambiente de esta noche, fue absolutamente increíble. Fue realmente genial y quiero agradecer a todos los que participaron de él. Este es el Liverpool que conocí antes de venir".*

Pero si había algo que todavía no sabían con seguridad, era que las emociones fuertes recién empezaban a llegar. El sorteo determinaba un cruce de cuartos de final ante el Borussia Dortmund, el anterior hogar de Jürgen Klopp. La ida se jugaría nuevamente en Alemania, como ante el Ausburgo, y la definición tendría lugar en Liverpool. Si el estadio fue una caldera en el partido ante el United, lo que ocurriría casi un mes después marcaría lo que fue una de las noches más espectaculares de la historia de Anfield.

## 3.5
## LA REMONTADA DE ANFIELD - PARTE I

### "Si eres muy, muy afortunado, quizá tengas diez de esas sensaciones en tu vida"

Probablemente aquel encuentro de ida por los cuartos de final de Europa League en el 2016 haya sido una de las pocas veces en la que una sola persona acaparó tanto protagonismo. El regreso de Klopp a Dortmund, esta vez como rival, se llevó absolutamente todas las miradas del jueves 7 de abril.

El vínculo que logró generar el entrenador con su ex equipo había marcado a fuego a todos los hinchas *Borussers* y la bienvenida iba a ser especial. De hecho, desde el viernes en el que se realizó el sorteo y durante toda la semana, en las redes sociales fue tendencia la frase "Danke Kloppo" (Gracias Kloppo), dando muestra de lo que vendría aquella noche.

El recuerdo estaba todavía muy fresco, ya que la despedida tras siete años de camino recorrido recién llevaba unos meses, y verlo en el mismo estadio, pero en un banco de suplentes diferente, no dejaba de ser llamativo: *"Estoy muy contento de presentar a mi nuevo equipo en Dortmund, estoy muy contento de mostrarle a los muchachos este maravilloso estadio y esta gran ciudad. Es una historia que solo puede escribir el fútbol"*, explicó el alemán luego de sortearse los cruces. Aunque a medida que pasaban los días iba bajando el éxtasis que le provocaba volver al Westfalenstadion: *"No voy a vivir una batalla interna entre mi viejo y mi nuevo amor. No tendré problemas"*, y al ser consultado sobre si tenía ganas de que se diera ese cruce que todos deseaban en la final del torneo, Klopp fue muy claro: *"¡¿Por qué querría enfrentarme al equipo más duro del torneo?!"*.

Del otro lado, el director deportivo del Borussia, Michael Zorc, quiso enfocarse en lo que realmente importaba y le respondía a su exentrenador: *"No vamos a organizar una cena romántica. Queremos avanzar y eso ya es lo suficientemente complicado"*.

Pero a pesar de los intentos de "Kloppo" de bajar las pulsaciones, iba a vivir una noche mágica, y al llegar al estadio encontraría la primera sorpresa, con un cartel estratégicamente colocado en la bajada del micro, una flecha le marcaba el camino señalado como *"vestuario de Klopp"* en lugar de *"vestuario visitante"*, para que no tuviera confusiones. El alemán no pudo contener las carcajadas.

Mientras tanto, en las adyacencias del Signal Iduna Park los hinchas del Liverpool y del Borussia Dortmund bebían cerveza todos juntos y cantaban todo tipo de canciones dedicadas al entrenador. Las banderas rojas y amarillas se entremezclaban.

Minutos antes de comenzar el juego se vivió uno de los momentos más vibrantes de aquella Europa League. Ambas hinchadas, algo así como 82 mil personas, cantaron al unísono el popular "You'll never walk alone".

Cuarenta y cinco minutos antes de que comenzara el partido, Klopp salía al campo de juego para observar el calentamiento de sus jugadores y la ovación de los 65 mil hinchas locales llegó de inmediato. Aquella noche, prácticamente no pudo observar la entrada en calor, porque sus ojos se desviaban constantemente hacia la pared amarilla. Habían pasado 320 días de aquel 23 de mayo que lo vio por última vez con esos colores, pero sin dudas estaba disfrutando de todo lo que envolvía a aquel atardecer: *"Hay una historia especial. Esto es algo especial que hace que uno no sienta frío"*, le comentó a la televisión alemana antes del inicio de las acciones. Misma televisión alemana que mediante el canal *Sport 1* iba a mostrar la *"cámara Kloppo"* siguiendo al técnico durante los noventa minutos.

Con las cuestiones que excedían a lo futbolístico de lado, se iba a vivir un duelo realmente apasionante entre dos equipos fanáticos del ataque. En una esquina, el conjunto de Thomas Tuchel venía jugando un fútbol de alto nivel durante la temporada en la que solo había perdido tres partidos, y tenía en el Liverpool a un rival que le serviría de prueba para ver si realmente se encontraba a la altura de los grandes de Europa. El sucesor de Klopp en Dortmund había encontrado un gran funcionamiento en un esquema comandado por Wiegl y Gündogan en el mediocampo y con Aubameyang como finalizador de todo lo que generaban Reus y Mkhitaryan. La propuesta mostraba mucha libertad de movimientos en la fase ofensiva, intentando ataques posicionales con la incorporación de ambos laterales (en general Pickzeck y Schmelzer) para que cuando los delanteros fijaran las marcas por dentro, ellos pudieran llegar hasta el fondo a terminar las jugadas.

Del otro lado el Liverpool ya exhibía el "estilo Klopp", mucha presión sobre el rival durante todo el partido intentando evitar los pases a los mediocampistas, y siempre que se lograba robar la pelota, los ataques eran directos.

*Mignolet; Clyne, Sakho, Lovren, Moreno; Milner, Henderson, Lallana; Coutinho, Emre Can y Origi*, eran los elegidos de Jürgen Klopp tras confirmarse que Firmino se sentaría entre los suplentes por una lesión en la espalda.

Por su parte Tuchel recuperaba a Hummels, pero no podía contar con Gündogan ni Sokratis, quienes arrastraban, también, algunas molestias: *Weidenfeller; Piszczek, Bender, Hummels y Schmelzer; Gonzalo Castro, Weigl; Mkhitaryan, Reus, Durm; y Aubameyang.*

Desde la atmósfera del Signal Iduna Park hasta las características de ambos equipos, todo estaba dado para una noche memorable.

Klopp salió a jugar al patio de su casa como sabiendo de pies a cabeza lo que tenía enfrente. La clásica presión alta se vio desde los primeros minutos. Había que forzar ataques que dejaran a Origi y a Coutinho mano a mano con los defensores del Dortmund. Y por su parte, los de Tuchel, aceptaban el desafío y no iban a renunciar a jugar por abajo desde el fondo. Tras media hora, las cosas parecían llevarse como querían los visitantes. Si bien no hubo llegadas claras, tampoco había que olvidar que la serie se definiría en Anfield. Erik Durm se mostraba en la alineación inicial como volante, pero oficiaba de quinto defensor para ayudar en la marca de Coutinho por el sector de Pickzeck, que aprovechaba para cerrarse cuando había que retroceder.

El técnico local siempre manifestaba su voluntad de que el Borussia sea un equipo dominante durante los noventa minutos, con fases de construcción y un ataque organizado. Esta vez estaría bastante incómodo por enfrentar a un rival con gran capacidad individual, pero a su vez con una clara intención de plantearle partidos molestos a los rivales que muestran tenencia mediante el *"juego de posición"*. Como ya era habitual desde que Klopp estaba en el cargo, la presión era selectiva, y cuando el Dortmund intentaba salir por el centro bastaba con estar bien parados para evitar sorpresas. Pero cuando querían jugar hacia los costados, Lallana o Coutinho, dependiendo del caso, intensificaban la zona de presión para cortar las líneas de pase. Puro *Gegenpressing*.

De esta forma, los tres encargados principales de la ofensiva *Borusser* estuvieron prácticamente desaparecidos durante los noventa minutos. Mkhitaryan y Reus no podían hacer uso de su velocidad característica, mientras que el flojo partido de Aubameyang dejó al equipo sin poder terminar prácticamente ningún ataque.

El gol de Origi en el primer tiempo, luego de que Milner peinara con la cabeza un balón largo de Moreno, les daba la ventaja y además conseguía el preciado gol de visitante. Quizá por esto, a pesar de los incrédulos, el grito de gol estalló en la boca de Jürgen Klopp. Al fin y al cabo, como dijo Zorc, esto no era una cena romántica, y el entrenador ya había avisado: *"Claro que lo voy a celebrar. Lo hice cuando volví a Mainz con el Borussia Dortmund, y había pasado allí 18 años. Después de siete años en Dortmund ellos me conocen lo suficientemente bien como para saber que si mi equipo anota lo voy a celebrar"*.

Ambos entrenadores plantearon cambios para el complemento y parecían buscar la misma fluidez que les faltaba en la mitad de la cancha. Allen por Henderson (lesionado) por un lado, y Nuri Sahin por Durm del otro. El encuentro siguió muy parejo, pero mediante un córner del armenio Mkhitaryan, el BVB encontró el gol del empate con un cabezazo de Hummels. Desde ese momento, sin ser arrollador, el Liverpool mereció la victoria para llegar más tranquilo al partido de vuelta, pero Roman Weidenfeller lo impidió con tres atajadas monumentales.

Una de las principales críticas que recibió Klopp cuando conformó los once para esa noche fue la inclusión de Origi como centrodelantero. Los rumores previos al juego lo ubicaban como titular por sobre Daniel Sturridge que venía teniendo una buena temporada siempre que le tocaba entrar en lugar de Roberto Firmino. La lesión del brasileño decantaba en la posible titularidad del atacante inglés, pero Klopp tenía tomada su decisión, y cuando le consultaron por este tema en la rueda con periodistas post partido no lo tomó del todo bien: *"Realmente no entiendo preguntas como esta porque esto se trata de imaginar dónde puedes tener algunas pequeñas ventajas y eso es lo que hicimos, no tuvo nada que ver con Daniel (Sturridge). Cuando él entró en la segunda mitad estuvo brillante de inmediato, fue sobresaliente, y no puedo decir si jugamos mejor con Origi o con Daniel".* Con su gol en el partido de ida, el belga Divock Origi conseguía su cuarta anotación en las últimas tres apariciones y lograba acallar algunas bocas que dudaban de su capacidad para pertenecer al Liverpool. Una linda ironía que se nota hoy con el paso del tiempo.

Para el desquite, Anfield debía ser una caldera, y su mística de noches maravillosas iba a tener que agregar una página más a su libro. En las horas previas las calles aledañas al mítico templo del fútbol inglés volvieron a ver, como una semana atrás en Dortmund, a los hinchas de ambos equipos hermanados por las estrofas del "You'll never walk alone", y además haciendo todo tipo de alabanzas para Jürgen Klopp.

Al igual que minutos antes del partido de ida, la canción compuesta por Richard Rodgers y Oscar Hammerstein en 1945 iba a entonar desde las cuatro tribunas y prácticamente cada uno de los hinchas presentes iba a sostener la bufanda de su equipo al mejor estilo fútbol europeo. De hecho, muchas de esas bufandas tenían los colores de los dos equipos, uno por cada lado, y la cara de Klopp estaba en el centro. Porque en lo que a marketing y oportunismo se refiere, a los dueños de los puestos que las venden en las cercanías al estadio, no se les puede reprochar nada.

Al finalizar la clásica canción que se entona antes de cada partido en Anfield, la tribuna local parecía hacer caso al pedido que Klopp había hecho en la semana: *"El ambiente en la Europa League hasta ahora ha sido muy bueno. El mejor fue el que se vivió frente al Manchester United (octavos de final), y ahora tenemos que intentar superarlo. Contar con el apoyo de los hinchas es una ventaja todavía mayor que haber marcado en la ida."* El alemán quería aprovechar todos los recursos para sellar la serie en casa tras el buen resultado obtenido en el Signal Iduna Park.

Antes del comienzo del encuentro las dos aficiones, respetaron un emotivo minuto de silencio en conmemoración de los 95 aficionados del Liverpool que en 1989 perdieron la vida en las tribunas del estadio de Hillsborough (Sheffield). En la víspera del duelo se habían cumplido 27 años de aquella tragedia y el homenaje fue aceptado por la UEFA de manera excepcional.

El único cambio que realizaría el entrenador sería el de colocar a Firmino, ya recuperado, y quien salía para darle lugar era Jordan Henderson, que se perdería el resto de la temporada por una lesión en una rodilla. La posición que ocuparía el brasileño sería por delante de Milner y Emre Can, quienes se repartirían el medio campo. Mientras todos pensaban que iba a ocupar el lugar de Origi dejando al belga en el banco, Klopp apostaba por los dos jugadores juntos para ser aún más ofensivo. Con Firmino oficiando de enganche, Origi sería el delantero centro y las bandas pertenecían a Coutinho y Lallana.

*"Tenemos una enorme oportunidad, pero sabemos de la calidad que tienen. Desde luego, no vamos a salir al campo enarbolando una bandera blanca. Sé que ellos pueden jugar mejor que en la ida, pero también podemos jugar mejor nosotros"*, dijo Klopp 24 horas antes del encuentro, y quizá no salieron con la bandera de rendición, pero con las defensas bajas, seguro: en apenas nueve minutos, los locales perdían 2-0 y los papeles se iban a la basura, porque ningún análisis táctico puede sostenerse para un partido en el que, tras diez minutos, cambia rotundamente toda su planificación.

El Borussia comenzó enchufadísimo, y en cinco minutos pisó tres veces el área roja. La tercera fue la vencida tras el remate del gabonés Aubameyang, el arquero dio rebote y ahí estaba Mkhitaryan para poner el 1-0. La presencia de Kagawa en lugar de Durm parecía darle resultado a Tuchel, ya que le imprimió una dinámica que no había tenido la semana anterior. Aubameyang aprovechaba los huecos que dejaba el fondo del Liverpool, obligado a atacar un poco más por ser local, y ni hablar luego del gol. Ahora el Dortmund se paraba de contra, y tanto Mamadou Sakho como Dejan Lovren no podían hacer pie. En cada uno de los ataques, Reus, Kagawa, Mkhitaryan y Aubameyang eran lanzados en velocidad. Absolutamente imparables. Y así llegó el 2-0 cuatro minutos después. Balón largo de Marco Reus, Aubameyang le ganó la espalda a Sakho y apuntó al ángulo del primer palo de Mignolet, golazo marca Dortmund y Tuchel dejaba el alma entera en su celebración.

A partir de entonces el primer tiempo sería de una ida y vuelta constante, el Liverpool intentando reaccionar rápido y el Dortmund mostrando la versión que más le gustaba: de contraataque. Klopp no dejaba de arengar a los hinchas ante cada situación ofensiva de los suyos; no podía permitir que todo Anfield se viniera abajo, debía ser su arma de empuje.

Origi tuvo dos muy claras para descontar y Aubameyang falló la suya debajo del otro arco. El 2-0 era justo al término de la primera parte y el entretiempo mostraba a un Klopp haciendo principal hincapié en lo motivacional, como meses después contaría el propio Origi: *"Nos fuimos mal al vestuario, el técnico nos pidió que creáramos un momento para que se lo podamos contar a nuestros hijos y nietos. Teníamos que hacer algo especial por nuestros hinchas. Y le creímos".*

Si el inicio del partido había sido una pesadilla para los Reds, el inicio del complemento sería diametralmente opuesto. Pase largo de Can y perfecta definición del propio Origi para mantener la ilusión a los tres minutos de la segunda mitad. Pero diez minutos más tarde un pase perfecto de Hummels dejaba a Reus mano a mano con Weidenfeller y el crack alemán no fallaba. Con el 3-1, el Liverpool necesitaba marcar tres goles en 35 minutos, todo se desmoronaba. Pero si de algo sabe un templo como Anfield es de noches históricas. Y el escenario para que la banda de Jürgen Klopp comenzara a tocar, apenas se estaba preparando.

El alemán sacudía el banco y mandaba a la cancha a Sturridge y a Allen. Tres minutos después de ambos ingresos, afloró una genialidad de Coutinho y tras una pared con Milner (que ya no tenía posición fija) remató con una rosca baja al segundo palo: 3-2 y media hora por jugar. De repente el resultado no parecía tan lejos.

Hacía once años, desde una calurosa noche de Estambul, que Liverpool no daba vuelta dos goles por competición europea, el Milan había sido la víctima en aquella final de la Champions League 2005, y había que recurrir a esos recuerdos, a esa mística, para atraer los aires de remontada. El encuentro estaba completamente roto, se llenó de pelotas perdidas y choques al límite. Anfield rugía y el cabezazo de Sakho tras córner de Milner puso el 3-3, a solo quince minutos del final. El delirio se apoderó del banco de suplentes de los ingleses con Jürgen Klopp a la cabeza. Puño en alto y dientes apretados para esperar el final. Había olor a hazaña: *"Debo confesar que el 3-3 para mí fue realmente importante, para todos nosotros, porque nos hizo creer que podíamos volver a hacerlo. Cuando miré el reloj pensé '77 minutos, todavía hay tiempo para seguir yendo a buscar ese gol'"*, comentó el alemán en una entrevista especial a la UEFA, en la antesala al choque de semifinales.

Con dos minutos por jugar, Milner trazó una diagonal perfecta, de esas que rompen líneas cuando el adversario solo busca defenderse: lanzó el centro flotado, y por el segundo palo el croata Dejan Lovren desató el éxtasis de toda una ciudad. Los dos centrales que habían pasado una mala eliminatoria le daban la clasificación al Liverpool, y Klopp se manejaba en un limbo entre la felicidad y el colapso: *"Ese hermoso gol fue para mí, personalmente, más conmoción que alegría real. Luego ver a toda esa gente festejando al final, caras felices… Ahí es cuando realmente te das cuenta de que esa fue una noche especial y no puedes tener quinientas de esas en tu carrera. Esas cosas solo pueden ocurrir dos, tres o cuatro veces. Si eres muy, muy afortunado, quizá puedas tener diez de esas sensaciones en toda tu vida"*.

Por su parte, el Dortmund no tenía explicación. Luego de hacer 165 minutos casi perfectos, la clasificación se les escapaba. Klopp había eliminado a "su Borussia", y entendía a la perfección lo que estaban sintiendo del otro lado: *"A la mañana todo fue completamente diferente porque usualmente luego de un juego así te despiertas genial con una sensación hermosa, pero esta vez, para ser honesto, no fue así y no tenía idea por qué. Luego supuse que era porque ellos habían perdido. Durante el partido estaba totalmente concentrado, pero en la mañana yo sabía cómo se sentían, sabía cómo estaban en el hotel y sabía con la sensación que se despertaron. A decir verdad, yo sabía perfectamente hasta el modo en el que desayunaron y cómo se miraron por la mañana"*.

Aquella remontada de Anfield iba a quedar en la historia, pero sobre todo iba a poder traerse a la memoria cuando se necesitara nuevamente una noche en la que sucedieran cosas imposibles. Como, por ejemplo, tener que remontar en casa una derrota de 3-0 frente al Barcelona, tras padecer a un Messi de colección en la ida.

Quizá lo más importante, es que se dio en un marco 100% Jürgen Klopp, donde no se tuvieron que cambiar las formas para lograr el objetivo. El heavy metal había estado presente y aquel partido sería detonante para una comunión entre hinchas y entrenador. Porque si es fácil construir proyectos encima de las victorias, imagínense cómo sería luego de noches como estas.

# 3.6
# LA MALDICIÓN DE SEVILLA

## "El estadio en el que más odio jugar es el de Sevilla"

Siete son los partidos oficiales en los que Jürgen Klopp enfrentó al club español a lo largo de su carrera. Cero, es el total de las veces que le ganó. Lo particular de esta estadística negativa, es que los duelos se dieron en los tres clubes por los que pasó el técnico alemán.

Cuando logró la clasificación con Mainz 05 a la Pre Europa League en 2005, el destino lo puso ante el cuadro sevillano. El primer encuentro, y debut de Klopp ante quien sería la bestia negra durante toda su carrera, se dio el 14 de septiembre de 2005 en tierras andaluzas. El empate sin goles lo colocaba en buena posición para terminar de definir en casa la clasificación oficial a la fase de grupos de la competencia continental. Sin embargo 14 días después, los dos goles del francés Frédéric Kanouté en el primer tiempo terminaron con la ilusión de los alemanes de recorrer Europa. En aquel Sevilla destacaban jugadores de la talla de Dani Alves, Maresca, Jesús Navas, Javier Saviola y Luis Fabiano, que finalmente se consagrarían campeones de aquella competencia en la que dieron el primer paso al eliminar al Mainz 05.

Cinco años después, el destino volvió a cruzar a Klopp con el Sevilla, nuevamente en la Europa League, pero ahora en fase de grupos. El Borussia Dortmund comenzaba su camino recibiendo a los españoles y esta vez el encargado de arruinar la fiesta sería el italiano Luca Cigarini, quien con uno de los dos goles que marcó en toda la temporada 2010/11, firmaría el 1-0 definitivo en Alemania. Como abrieron la fase de grupos en el Signal Iduna Park, debían cerrarla en el estadio Ramón Sánchez Pizjuán. Esta vez el Dortmund necesitaba ganar para superar al Sevilla en la tabla y conseguir la clasificación, mientras que PSG observaba todo como líder y con su participación en la siguiente ronda ya confirmada.

El gol del japonés Kagawa a los cuatro minutos del primer tiempo encaminaba la serie para los de Klopp, pero en poco más de cuatro minutos, Romaric y Kanouté (una vez más), lo dieron vuelta para el 2-1. En el inicio de la segunda mitad, Subotić decretaría el que sería el resultado final. A pesar de los intentos del Dortmund de atacar durante todo lo que restaba de partido, aquel último gol no llegó, y el Sevilla se quedaba con la clasificación a la siguiente ronda.

Ya en Liverpool, y luego de la remontada ante el Borussia Dortmund en los cuartos de final, el equipo de Klopp venía de aplastar como visitante al Villarreal por 3-0, y de esa forma conseguía su lugar en la final de la Europa League. Del otro lado de la llave, el Sevilla hacía lo propio ante el Shakhtar Donetsk ucraniano y se confirmaba que la final sería disputada entre dos de los equipos que más veces ganaron la competición.

El 18 de mayo de 2016, el St. Jakob-Park de Basilea sería testigo de un nuevo cruce de la escuadra española en la carrera de Jürgen Klopp: *"Estamos preparados. Sabemos quién es el Sevilla, un equipo fantástico, y Emery hace un trabajo enorme. España es el país que mejor fútbol juega en este momento. Están al más alto nivel. Esperemos que mañana no sea así"*, afirmaba el alemán en la conferencia previa al partido, y completaba: *"cuanto más tiempo estás sin ganar nada, más ganas tienes de lograr el éxito. Cuando llegué aquí algunos dudaban de estos jugadores. Ahora tienen la oportunidad de conseguir algo especial"*.

James Milner agregaba algo muy importante y es que, en caso de ganar la final, el Liverpool estaría consiguiendo algo clave además del título en sí: *"Nos jugamos toda la temporada en este partido. Supone ganar un título y algo tan importante como jugar la Liga de Campeones la próxima temporada"*. En caso de no poder coronar, el Liverpool iba a quedarse sin competencia internacional durante el período 2016/17, por eso Klopp pedía mantener la concentración al máximo: *"Hemos peleado mucho para alcanzar esta final. Tenemos que sentir la importancia de jugar un partido como éste. Es algo único y tenemos que estar preparados. Para derrotar al Sevilla tenemos que ser muy valientes, un Liverpool atrevido y muy concentrado. Tenemos un rival fantástico"*.

Los once del Liverpool para la definición en el St. Jakob Park de Basilea, en Suiza, serían: *Mignolet; Clyne, Lovren, Touré, Alberto Moreno; Can, Milner; Lallana, Firmino, Coutinho; y Sturridge.*

*Enfrente* Unai Emery se inclinaba por: *Soria; Mariano, Rami, Carriço, Escudero; N'Zonzi, Krychowiak; Coke, Banega, Vitolo; y Gameiro.*

El Liverpool comenzó mejor, con el arco de Soria en la mira y sin ningún tipo de especulación. La idea era no permitir que el Sevilla tuviera la pelota, y para eso había que presionar de manera incansable. Con el golazo de Sturridge, quien definió de forma espectacular con "tres dedos" tras pase de Coutinho, cayó el 1-0 a los 35 minutos. Y el descanso mostraba un equipo inglés absolutamente dominador de las acciones. Los de Klopp habían manejado las cosas en las dos áreas y el resultado era totalmente justo, aunque quizá un poco corto. Luego del gol, el Liverpool se cargó de confianza y pudo haber estirado la ventaja en varias ocasiones. Por el lado de los sevillanos, en toda la primera etapa solo Gameiro pudo rematar al arco una vez, porque el trabajo defensivo comandado por Lovren y Touré en la zaga era formidable. Pero un equipo no puede permitir relajarse, y menos en este tipo de partidos. Quince segundos fueron los que pasaron desde que el Sevilla sacó del medio, hasta que Gameiro empujó la pelota debajo del arco para decretar el 1-1. A partir de allí, ocurrieron tres cosas fundamentales: Liverpool acusó el golpe, Banega se adueñó del partido y Coke se convirtió en héroe.

Nadie podía explicarse qué ocurrió, y por qué los primeros cuarenta y cinco minutos fueron tan diferentes a los segundos. Los dos goles de Coke le daban al Sevilla el tercer título consecutivo de Europa League, y Jürgen Klopp caía en su quinta final al hilo.

En febrero, el alemán no había podido consagrarse en los penales ante el Manchester City, en la final de la Copa de la Liga. Anteriormente, en Dortmund, se había inclinado en la final de la Champions League 2012/13, derrota a la cual se le sumaron las finales de las Copas de Alemania (ante Wolfsburgo y Bayern Múnich): *"Hay cosas más importantes en la vida. Mañana o dentro de una semana veremos con un poco más de claridad esta derrota y aprenderemos de esta experiencia. No jugaremos la próxima temporada competiciones europeas y tendremos muchísimo tiempo para entrenar"*, cerraba el DT intentando ver el vaso medio lleno, aunque al final se mostraba molesto por el desempeño del árbitro sueco Jonas Eriksson: *"Nunca se han tomado decisiones a mi favor en las finales, aunque seguro jugaremos más y puede que se dé".*

Por tercera vez, el Sevilla se encargaba de amargar a Klopp antes de obtener una Europa League. Parecía ser un ciclo de nunca acabar.

A aquella final del 2016, la siguió otro duelo ante el Liverpool, pero ahora en la fase de grupos de Champions 2017/18, en 2017. Como hacía algunos años cuando dirigía al Borussia Dortmund, Klopp debía inaugurar una fase de grupos en casa, y ante el Sevilla. En esta oportunidad, la sexta en la que enfrentaba al club andaluz, tampoco iba a poder ganar. El resultado final sería 2-2, y el Liverpool desperdició una decena de ocasiones claras para asegurar el triunfo. Incluso antes de finalizar el primer tiempo, Roberto Firmino falló un penal que hubiera significado el 3-1. Sin embargo, a veinte minutos del final, el argentino Joaquín Correa fue el encargado de arruinar la victoria de los ingleses, al decretar el 2-2.

Pero aún más insólito fue lo ocurrido en la quinta jornada de esa fase de grupos. Los de Klopp se fueron al descanso ganando 3-0 en España, con un homenaje a la intensidad física y el juego directo. Dos goles de Firmino y uno de Mané, parecían asegurar, al fin, un triunfo de Klopp frente a Sevilla y así terminar con el maleficio. Pero una remontada impresionante de los locales en la segunda mitad, permitió que mediante un gol de Guido Pizarro en el minuto 93, las cosas terminen 3-3: *"Es fácil de explicar, ha habido una parte para cada equipo. Intentamos controlar el partido con el balón, pero cuando marcaron el primero el partido cambió inmediatamente. Ellos se sintieron fuertes. Después de su segundo gol pudimos sentenciar, pero no cerramos el partido y nos empataron. El segundo tiempo se nos hizo largo y más cuando no pudimos cerrarlo. Ese fue nuestro error. Ésa es la historia del partido",* cerró el entrenador en conferencia. Dos semanas después, un 7-0 sobre el Spartak de Moscú confirmó el pasaje del Liverpool a octavos.

En septiembre del 2019, en una entrevista con el canal oficial de la FIFA, a Jürgen Klopp le preguntaron cuál era su estadio favorito, y la respuesta del alemán, entre risas, fue contundente: *"No sé cuál es el mejor, pero el que más odio es el Sánchez Pizjuán. Se genera una gran atmósfera, un ambiente especial. ¡Es un cumplido!".*

Curiosamente, los números específicamente en terreno sevillista muestran tres empates y no parecieran ser tan malos. Pero la idea de cruzar a su verdugo nuevamente no suena a ser la mejor opción, sobre todo con el mal sabor de boca que le dejó ese estadio tras ir ganado 3-0 en su última visita. Algo debe haber sentido Klopp esa noche como para sentenciar con tanta firmeza que, entre tantos estadios en el mundo, sea el del Sevilla donde más odia jugar. O quizá solo sea parte de una idea, la de poner en foco una maldición que deberá romper tarde o temprano.

## 3.7
## SUS DUELOS CON MAURIZIO SARRI

### *"¿No te estás divirtiendo?"*

En la temporada 2000/01 Maurizio Sarri aceptó un trabajo en el AC Sansovino de la Serie Eccellenza (sexta división italiana), y lo hizo con una promesa: *"Dejo de entrenar de por vida si no consigo ganar la liga"*. Por suerte fue campeón, siguió entrenando y dieciocho años después firmó contrato con uno de los equipos más importantes de la mejor liga del mundo.

En sus primeros años como técnico profesional también dirigió al AC Arezzo en donde tuvo algunos partidos catalogados de "épicos". Por ejemplo, su empate 2-2 frente a la Juventus de visitante, y su victoria por 1-0 ante el Milan (que fue campeón de la Champions League ese año) como local.

No vale ahondar en su larga trayectoria por el ascenso del *calcio*, ya que dirigió diecisiete equipos desde la octava hasta la primera división, pero sí cabe mencionar que debutó en la Serie A a sus 55 años, con el Empoli. Con la escuadra de la Toscana ascendió y logró mantenerse gracias a una gran campaña. Cuando en el 2015 el presidente del Napoli, Aurelio De Laurentiis, anunció la contratación de Maurizio Sarri como nuevo DT de la institución, muchos no estaban conformes. Pero tiempo después, hasta Maradona tuvo que pedir disculpas tras decir que *"Sarri no es un entrenador para el Napoli"*, aunque el italiano, por aquel entonces, no se lo tomó a mal: *"Diego es mi ídolo, el hecho de que me conozca es un honor. Puede decir lo que le da gana"*.

En otra de sus declaraciones recordadas, cuando comandaba al Empoli un periodista le preguntó si le molestaba ser el entrenador peor pago de toda la Serie A: *"¿Si estoy enojado? No bromee. Me pagan por algo que haría gratis después de trabajar. Soy un afortunado"*.

Su llegada al Chelsea a mediados de 2018 suponía un nuevo escenario táctico para una rivalidad con aires modernos frente al Liverpool. Por un lado, el aceitado equipo de Klopp, y por el otro, un conjunto de Londres que dejaba el pragmatismo de Antonio Conte, más acostumbrado a los cinco defensores, para intentar posicionarse nuevamente en la elite del continente con una idea totalmente diferente.

Los equipos de Sarri toman la iniciativa y siempre tratan de imponer su estilo. No hay desesperación mientras pasan los minutos, de hecho, mientras más largo sea el tiempo de posesión de la pelota, mejor. El italiano propone hacer de la paciencia, una virtud. Triangulaciones, jugadores ubicados en diferentes alturas del campo de juego y la superioridad numérica cuando el rival presiona, son apenas algunas de las características que el entrenador nacido en la ciudad de Nápoles llevó acabo en los diferentes equipos que guió durante su larga carrera.

No por nada su principal referente y -según él- el mejor entrenador del mundo es *Pep* Guardiola. Si alguien lo remarca abiertamente como el número 1, no hay dudas de cómo intentará hacer jugar a los suyos.

A todo esto, quien se declaró fanático del italiano, fue el mismísimo Klopp, que tras observarlo en sus primeros partidos de Premier League no dudó en halagarlo de forma radical: *"El cambio más grande que haya visto en tan poco tiempo, wauw"*, exclamó el alemán en una conferencia de prensa previa a su primer cruce frente a Sarri, y agregó: *"El estilo es completamente diferente (al de Conte). Qué entrenador es, para ser honesto. Soy bastante partidario de él desde que vi a sus equipos en Napoli. Un fútbol excepcional, y ahora lo estoy viendo tras una pretemporada muy interrumpida debido a la Copa del Mundo".*

Los elogios eran cruzados: horas antes del duelo por la Carabao Cup (Copa de la Liga Inglesa), Sarri: *"Ellos están con el mismo entrenador hace varios años. Nosotros empezamos a trabajar juntos hace 40 días. Están un paso adelante de nosotros, hay que trabajar y quizás en un año estemos a su nivel".* Y al ser consultado, luego, por su relación con José Mourinho, nuevamente trajo a Klopp a la charla: *"Me siento más cerca de Klopp desde un punto de vista filosófico. Nuestras conversaciones me parecen sensacionales".*

La rivalidad entre dos de los poderosos equipos de Inglaterra mostraba un respeto mutuo entre sus entrenadores. No solo se estaba por disfrutar de propuestas tácticas de alto vuelo con dos marcas registradas de este deporte, sino que, además, la caballerosidad que había entre ambos sería un sello de estos duelos.

Los enfrentamientos entre Liverpool y Chelsea pueden catalogarse como un clásico moderno. Ya que sin faltarles el respeto al Everton (por su ubicación) y al Manchester United (por peso histórico), los últimos años en la historia del Chelsea lo posicionaron como un duro rival para los *Reds*. Esto se remite a los diez enfrentamientos que los tuvo como protagonistas en la Champions League desde el año 2005 hasta 2009, en las que se vieron las caras durante cinco ediciones consecutivas.

En la primera de ellas, fue en semifinales, instancia en la que el Liverpool se clasificó con el gol de Luis García en el partido de vuelta, tras empatar 0-0 en la ida. En esa edición sería campeón al vencer al Milán en la recordada final de Estambul.

Al año siguiente compartieron la misma fase de grupos, y ambos cotejos finalizarían 0- 0. En la temporada 2006/07 nuevamente las semifinales los volverían a cruzar, y otra vez pasaría el Liverpool, dirigido por *Rafa* Benítez, pero ahora mediante los penales. Sin embargo, el Milan se vengaría en la final y se quedaría con el título.

Un año más tarde, otra semifinal; el turno de los londinenses de imponerse por un 4-3 global, aunque luego perderían la final por penales frente a Manchester United, que había eliminado al Barcelona en la otra llave. Por último, por quinto año consecutivo, se enfrentaban en la máxima competición europea a la altura de cuartos de final. El resultado acumulado volvería a ser para el Chelsea, que cerró en casa un total de 7-5, tras empatar 4-4 en un match que fue un monumento al fútbol. Aquella vez el Chelsea se fue al descanso con un 2-0 abajo, y necesitaba un gol para pasar. En el segundo tiempo consiguió tres goles y logró ponerse 3-2, pero en la recta final, en menos de dos minutos, Liverpool dio vuelta para un 4-3 que los colocaba a un tanto de la clasificación. Pero en el final, Lampard con un golazo propio de ese partido, clavó el 4-4 definitivo.

Esa seguidilla de cinco duelos forjó una rivalidad nueva entre ambos conjuntos. Si bien el Liverpool consiguió su quinta Champions

League en 2005, el Chelsea obtuvo su primera *Orejona* en 2012, y la Europa League un año después. Lo que le daba decididamente el estatus de un club ganador en los tiempos modernos.

Con las llegadas de Klopp y de Sarri, las formas de ambos equipos habían cambiado notoriamente con respecto a aquellas épocas. Nadie tenía dudas de la clase de partidos que iban a protagonizar, y lo único que podía hacer el futbolero promedio, era celebrar.

El primero de esos tres conciertos entre el heavy metal alemán y la sinfonía italiana tendría lugar en Anfield, por la Copa de la Liga Inglesa.

Chelsea venía mostrando aspectos futbolísticos muy interesantes desde el comienzo de la Premier, y había conseguido cinco victorias en seis partidos. A pesar de que su trabajo había comenzado hacía poco más de un mes de forma oficial, Sarri ya intentaba imponer su sello con salidas bien ordenadas desde el fondo. Con la conducción de los zagueros para atraer rivales y provocar el hombre libre, y con los laterales y los mediocampistas bien abiertos, generando espacios y superioridad. Pero claro, los errores en defensa suelen ocurrir con equipos que arriesgan mucho y aún no están del todo trabajados. Este sería el punto que iba a trabajar un especialista en contraataques y presión alta como lo es Jürgen Klopp.

Su Liverpool había ganado seis de seis en una Premier que recién comenzaba, y se encontraba dos puntos por encima de Chelsea. Sin embargo, al ser la Carabao Cup un torneo menor, ambos equipos formarían con varios suplentes y pondrían el foco más importante en el partido que se jugaría tres días después y que los enfrentaría nuevamente, pero por la Premier League.

Los locales iban sin Salah y Firmino como principal novedad: *Mignolet; Clyne, Lovren, Matip, Moreno; Fabinho, Milner, Keita; Shaqiri, Sturridge y Mane.*

Enfrente, Sarri guardaba entre otros, a su gran figura, Eden Hazard, y formaba con: *Caballero; Azpilicueta, Christensen, Cahill, Emerson; Barkley, Fàbregas, Kovacic, Moses, Willian; y Morata.*

A simple vista, el napolitano pobló la mitad de la cancha con mediocampistas de buen pie por el centro y con dos jugadores rápidos como Willian y Moses por las bandas, formando un 4-5-1 cuya principal función era alimentar a Morata. Klopp mantenía el 4-3-3 a pesar de cambiar algunos intérpretes.

Chelsea empezó el juego apostando al habitual balón largo de Cahill (en general el encargado era David Luiz) a la espalda de alguno de los laterales del rival, que en este caso mostraba preferencia en encontrar la velocidad de Willian a espaldas de Clyne. A partir de ahí la intención era generar superioridad numérica con la subida de Emerson por ese costado.

A los veinte segundos de juego esa fue la forma en la que Chelsea atacó por primera vez, con la que venía siendo una constante en el juego de Sarri durante esos primeros partidos de temporada. Saque del medio, y balón largo. Así atacaba desde el minuto cero o, si el rival lograba defenderse, la pelota podía terminar en un lateral bien ofensivo en campo adversario, esto último fue lo que ocurrió frente al Liverpool.

Esta vez el plan de jugar el balón en largo a espalda de los laterales no quedaría solo en la primera jugada del partido, sino que iba a ser el plan para superar la agobiante presión del Liverpool de Klopp. Y por primera vez en la temporada se veía fracasar esa presión, al quedar sin efecto por el desorden que provocaba el juego directo que Liverpool no esperaba. Primero había toques en corto entre los centrales para invitar a Shaqiri, Mane y Sturridge a presionar, si venían el espacio, tanto Cahill como Christensen debían jugar con Fábregas en la mitad de la cancha, lo que le permitía al español manejar la pelota demasiado tiempo. Además, otra muy buena forma de superar la presión rival es mover la pelota rápido y a un solo toque.

Aprovechando ese espacio que dejaban los volantes del Liverpool, los de Sarri podían jugar en corto con volantes especializados en el buen trato de la pelota. Durante esos primeros veinte minutos el Chelsea se adueñó del partido y pudo manejarlo mediante la combinación de pases en corto y balones largos a la espalda de los laterales rivales. Barkley y Fábregas quedaban muy solos tras la presión desorganizada del Liverpool y eso le traía dolores de cabeza a Klopp. Pero del otro lado del campo, cuando los que debían recuperar la pelota eran los *Blues*, el Chelsea de Sarri tiene también a la presión como su principal aliada.

La premisa cuando se pierde la pelota y comienza la transición defensiva es presionar al poseedor y a los posibles receptores, generando duelos individuales. Todos cerca de las marcas. Todos deben estar atentos para cortar las líneas de pase. Porque Chelsea necesita la pelota para desarrollar su juego, y mientras antes la recupere, mejor. Entonces hay que tener las líneas bien juntas, que el equipo sea corto y compacto. La defensa se plantaba en mitad de cancha, achicando siempre para adelante, intentando que el rival no encuentre espacio para penetrar. Pero esta vez, a un Chelsea poco trabajado había que sumarle varios cambios en los nombres y no se podían observar estos movimientos aceitados. Entonces cuando los mediocampistas presionaban junto con los delanteros, la defensa quedaba muy atrás, lo que derivaba en un equipo partido. A esto intentaba sacarle provecho Klopp con los pelotazos largos buscando a los delanteros. Al no tener el famoso movimiento de acordeón para desplazarse en forma compacta, Fábregas quedaba muy solo para recuperar las segundas pelotas nacidas de los enfrentamientos entre delanteros rojos y defensores azules.

Durante más de la mitad del primer tiempo el negocio del Chelsea estaba en buscar a Fábregas solo en la mitad de la cancha para que con sus pases precisos encontrara a Willian y Moses por los costados. Pero faltando unos diez minutos para el descanso, Klopp movió algunas piezas y mandó a Fabinho sobre el español, para anularlo y cerrar el principal punto de creación del equipo de Sarri. Ni bien ocurrió este movimiento, Chelsea comenzó a cometer errores en su salida, y Liverpool intentó aprovechar los contraataques. Sin tiempo y sin espacios, Fábregas no podía ser Fábregas. Después de un gran comienzo de partido, parecía que los de Klopp terminaban mejor la primera mitad.

El segundo tiempo comenzó igual, con la presión de Mané, Shaqiri y Sturridge bien alta, lo que obligaba a los defensores del Chelsea a seguir cometiendo errores en la salida. A los diecisiete minutos llegó el gol de Sturridge por esta vía. Fábregas y Azpilicueta no pudieron despejar la pelota con claridad, lo que facilitó la recuperación de Mané. El senegalés jugó con Keita, que remató de derecha y el rebote de Caballero le cayó a Sturridge, que no perdonó con una buena volea.

Eden Hazard había entrado dos minutos antes del gol de Emerson, que ponía el transitorio 1-1. Luego del mismo, Kanté por Kovacic y David Luiz por Christensen eran las cartas que jugaba el italiano. La idea estaba clara, había que recuperar más la pelota y además había que pasarla mejor desde el fondo. El belga jugó un partidazo y desde que entró, pudo cambiar el partido. Sumado a su ingreso, David Luiz empezó a comandar la zaga, la defensa se adelantó varios metros y evitó que el equipo se siguiera partiendo. Por otro lado, con el francés Kanté como mediocampista tapón, la recuperación y la presión eran mucho más agresivas. Ya no había tantos espacios para que el Liverpool los aproveche. Los tres cambios de Sarri habían cambiado el rumbo del partido.

Dejando las tácticas de lado, el partido de Hazard fue una completa locura y su gol faltando cinco minutos para el final, dejando en el camino a cuatro hombres del Liverpool (con dos caños incluidos), era una genialidad propia de un jugador diferente. El número diez que más adelante pasaría al Real Madrid por exhibiciones como esta, le daba la victoria a su equipo en el primer duelo de Sarri frente a Klopp.

Como último hecho a destacar de esa contienda, hay que decir que el tanto del empate parcial había sido con una posición adelantada muy clara tras un centro, y por aquel entonces se empezaba a llevar a cabo la implementación del VAR.

Jürgen Klopp no pudo ocultar su bronca: *"¿Por qué tenemos el VAR si luego no queremos tomar decisiones? No espero estas decisiones, pero si vas a usar el sistema, entonces tienes que decir que es fuera de juego. Hay dos jugadores en posición adelantada que bloquean a los míos, y el fuera de juego de Barkley puede ser leve, pero lo es".*

Este era el primer golpe que recibía el Liverpool en una temporada que venía de maravilla, pero solo tres días después se verían las caras nuevamente por la Premier League y Klopp buscaba su revancha: *"Hemos tenido dos días para prepararnos y hemos trabajado. Y además hay motivación extra, claro. Queremos devolverles el golpe, esto es deporte, contraatacar es un deber en el deporte. Será un partido duro, intenso. Nuestra mejor preparación fue el encuentro del miércoles. Intentaremos utilizar nuestra información sobre aquel partido para hacerlo mucho mejor".*

El Liverpool, con seis victorias en los seis encuentros de Premier disputados hasta entonces, visitaba Stamford Bridge para nuevamente medirse con el Chelsea. En juego estaría el liderato de la Premier, y los medios europeos ya estaban ansiosos por otro choque entre estas dos veredas opuestas en cuanto a la filosofía del fútbol que representaban: *"Mientras Sarri impone el toque como seña de identidad, con un blues pausado que marea a sus rivales hasta arrollarlos, Klopp rompe los esquemas a golpe de solos de guitarra eléctrica, con contraataques veloces que noquean a sus contrincantes. Dos estilos que tan fácil despiertan el fervor de sus admiradores como son diana de las feroces críticas de sus detractores. Pero, que los ha llevado pugnar mano a mano por el liderato de la Premier con permiso del Manchester City"*, remarcaba el diario *Marca* de España.

A pesar de la condición de favorito del Liverpool, lo cierto es que no había ganado un solo partido en los últimos cuatro enfrentamientos con el Chelsea, con dos triunfos para los londinenses y dos empates. Aquel 29 de septiembre ambos elencos jugarían con lo mejor que tenían, el once del Liverpool era: *Alisson; Alexander-Arnold, Van Dijk, J. Gomez, Robertson; Milner, Wijnaldum, Henderson; Salah, Firmino y Mané.*

Chelsea saldría con: *Kepa; Azpilicueta, Rudiger, David Luiz, Marcos Alonso; Kanté, Jorginho, Kovacic; Willian, Giroud y Hazard.*

Durante los primeros minutos la idea era hacer ineficaz el juego del rival y Sarri proponía no dejar salir con la pelota dominada a los defensores rojos. Para eso necesitaba un gran compromiso de su tridente de ataque, Hazard, Willian y Giroud. Mientras que Jorginho, mucho más cómodo que Kovacic en esa función, iba a presionar a Henderson para que no recibiera solo en el centro del campo. Esto obligaba tanto a Van Dijk como a Joe Gómez a buscar pelotazos intrascendentes que terminaban en los pies de jugadores del Chelsea. La presión estaba surtiendo su efecto.

A la hora de salir desde el fondo, tanto David Luiz como Rudiger se abrían hacia los lados, y de esta forma le permitían a Jorginho acercarse hasta el borde del área grande para tomar la pelota. Los tres delanteros de Klopp eran los encargados de marcarlos, cada uno por su sector. Sin embargo, Sarri no quería ceder a intentar salir jugando por abajo, y lo iba a intentar muchas veces.

Cuando no podía hacerlo, la búsqueda era Alonso por la izquierda o Azpilicueta por la derecha, aprovechando el hueco que aparecía entre los extremos del Liverpool que estaban presionando arriba y los internos que estaban más replegados.

Klopp, muchas veces permitía que el Chelsea diera ese primer pase con los centrales, para luego ir a presionarlos en manada y complicarles la salida limpia. Si podían superar esa presión y cruzaban la mitad de la cancha, todo era bastante favorable para los *Blues*, y el Liverpool debía replegarse rápido porque quedaba en inferioridad numérica.

Para los espectadores neutrales este ida y vuelta constante con barreras de presión muy altas lo convertían en un espectáculo único. Aquel fue de los partidos más entretenidos de la temporada en toda la Premier, porque sumados a la verticalidad y la propuesta de los equipos para buscar el arco rival, los jugadores de ambos lados eran de primer nivel mundial. Hazard parecía destinado a tener la mejor temporada de su carrera, después de lo que fue un Mundial de Rusia consagratorio, y se sacaba hombres de encima en cada jugada. Y del otro lado, Salah, Firmino y Mané seguían deleitando a todos con su calidad. Además Klopp intentaba aprovechar las subidas de Trent Alexander-Arnold, quien siempre trataba de terminar las jugadas en posición de delantero bien abierto por derecha, aprovechando que Hazard no podía seguirlo durante todo el partido. Esto le daba la opción al equipo de tener un hombres más en posición ofensiva para jugar directamente hacia su costado, o a su vez permitía arrastrarle a Salah la marca de Alonso para que el egipcio tuviera más espacios. Pero a los veintinueve minutos, Hazard aprovechó una de esas subidas del lateral del Liverpool y llegó al área sin marca para recibir el pase de Kovacic. No falló su remate cruzado de zurda y puso el parcial 1-0.

A pesar del gol las propuestas no cambiaron demasiado, el partido continuó en una sintonía bastante similar con los dos bandos por el mismo camino. El Liverpool intentaba llegar de forma directa, con mucha gente, y con Salah como referencia de casi todos los ataques, mientras que el Chelsea buscaba presionar cortando líneas de pases para dificultar las salidas de los centrales.

Casi en la mitad del segundo tiempo, Klopp probó variantes, primero Shaqiri ingresaba por Salah y de hecho tuvo la ocasión más clara tras un centro de Robertson que el suizo no pudo definir. Luego, Keita por Henderson para tener más llegada desde la mitad de la cancha y por último Sturridge por Milner a cinco minutos del final para buscar la heroica.

El juego no daba respiro, era un verdadero ida y vuelta que no permitía a nadie levantarse de los asientos. Incluso ambos entrenadores la estaban pasando bien, y se dio una charla entre los dos, al costado de la cancha, que luego fue comentada por Sarri en conferencia de prensa y se repercutió mucho en Inglaterra. Así lo contaba el italiano: *"Fue un espectáculo extraordinario. Solo 10 minutos antes de que termine el partido, vi a Klopp mirándome mientras el juego continuaba. Le pregunté: '¿Por qué estás sonriendo?', y él respondió: '¿No te estás divirtiendo?'. Dije: 'Si, mucho', y agregó: '¡Yo también!'. Él estaba perdiendo el partido en ese momento".* Y siguió: *"Incluso después del resultado final nos abrazamos como dos viejos amigos. Estoy seguro de que él hubiera hecho lo mismo incluso si Liverpool no hubiera igualado sobre el final".*

A pesar del cierre con el golazo de Sturridge que rescataba un punto para los de Klopp, ambos entrenadores estaban orgullosos del espectáculo que habían brindado sus jugadores. Los dos sabían que el Liverpool iba a pelear la Premier League hasta el final durante esa temporada y que el Chelsea, hacía rato que jugaba al ritmo de Maurizio Sarri.

El último de los tres duelos que enfrentaron al italiano con el alemán fue en la segunda ronda de esa Premier League 2018/19: el 14 de abril de 2019, en Anfield. A esa altura del torneo, el Liverpool tenía unos escandalosos 82 puntos en 33 partidos y mantenía el primer lugar con 25 victorias, 7 empates y solo 1 caída. Por su parte, Chelsea estaba en el cuarto lugar y con 66 puntos y estaba clasificado para la siguiente Champions. Veinte partidos ganados, 6 empates y 7 derrotas era el registro que llevaba hasta el momento.

El dato desalentador para los de Klopp era que el Liverpool no había podido ganar las últimas seis veces que recibió al Chelsea por Premier. Y, de hecho, habían perdido en la última visita de los *Blues* en Anfield, en aquel partido que cruzaba por primera vez al alemán con Maurizio Sarri hacía poco más de seis meses.

Antes del partido, Eden Hazard se deshacía en elogios para el equipo rojo y su entrenador: *"Creo que han estado prendidos fuego por dos años, no solo esta temporada. Pero el City también lo está haciendo bien. Creo que el Liverpool es un equipo fantástico para observar, su técnico es fabuloso, tienen jugadores que son algunos de los mejores del mundo y va a ser un partido muy duro... aunque siempre es duro en Anfield. Pero nosotros somos el Chelsea y podemos ganarle a cualquiera".* Quien fuera el verdugo en los últimos dos partidos enfrentando a los de Klopp estaba pasando una temporada sensacional. Venía de marcarle dos goles al West Ham y su futuro estaba pintado de blanco tras la confirmación, un mes antes, de su venta al Real Madrid.

Por su parte el técnico de Liverpool se había encargado de defender a Mohamed Salah de los ataques de los hinchas del Chelsea, que, tras su encuentro de Europa League en Praga, hicieron un video tratando al egipcio de yihadista por sus orígenes musulmanes: *"Es repugnante. Otro ejemplo para algunas personas de cosas que no deberían suceder. No deberíamos verlo como una persona del Chelsea o del Liverpool. Es otra señal de que algo no funciona. Todavía son solo algunas personas, pero cuanto más fuerte sea la reacción de todos nosotros, más podrá ayudar a evitar este tipo de cosas en el futuro. El fútbol es un ejemplo de cómo diferentes culturas y razas pueden trabajar juntas de manera brillante".*

En cuanto a lo futbolístico ambos tenían claro que, de no obtener los tres puntos, su objetivo de la temporada corría serio peligro. De no ganar Liverpool, el equipo de Guardiola quedaba a un paso del título, y este enfrentamiento con el Chelsea para definir una Premier traía a la memoria de todos los hinchas aquel resbalón de Gerrard en 2014. A finales del mes de abril de aquel año estos dos equipos se veían las caras y tras una primera parte muy pareja, el entonces capitán y emblema del Liverpool perdió el equilibrio y dejó solo en carrera al delantero Demba Ba, que hizo honor a su apellido, se fue cara a cara con Mignolet y convirtió el gol. La derrota le dio al conjunto que conducía Mourinho la oportunidad de luchar por el título, pero quien finalmente se quedó con la Premier fue, paradójicamente, el City de Guardiola, que otra vez pedía una ayuda de los londinenses. *"Probablemente, estos tres meses hayan sido los peores de mi vida"*, diría Steven Gerrard noventa días después de aquel antecedente. A lo que se le sumó la peor Copa del Mundo en la historia de la selección inglesa, en la que participaba (en Brasil los ingleses quedaron últimos en el Grupo D).

Pero volviendo a lo que ocurriría aquella tarde del 14 de abril del 2019, tanto Klopp como Sarri pondrían lo mejor que tuvieran a su alcance para llevarse la victoria. Liverpool formaba con su once de gala: *Alisson, Alexander-Arnold, Van Dijk, Matip, Robertson; Henderson, Fabinho, Keïta; Salah, Firmino y Mané.* Y Chelsea visitaba Anfield con un 4-3-3 con Kanté por derecha y Loftus-Cheek por izquierda: *Kepa; Azpillicueta, David Luiz, Rüdiger, Emerson; Jorginho, Kante, Loftus-Cheek; Willian, Hudson Odoi y Hazard.*

La idea de Sarri, era que Loftus-Cheek marcara la salida de Fabinho para que el brasileño no pudiera entregar la pelota limpia a los delanteros, y de esta manera obligarlo a jugar hacia atrás con los centrales para que estos lanzaran balones largos. Cuando esto ocurría, el Chelsea quedaba con una línea de cinco volantes en el medio y Hazard como único delantero.

Cuando el Liverpool tenía la pelota, tanto Keita como Henderson debían ubicarse bien adelantados, a espaldas de Kanté y Jorginho, para ofrecerles líneas de pase a Fabinho o cualquiera de los laterales. Incluso, lo confirmó el mismo Jordan Henderson después del partido: *"Hoy y también contra el Porto jugué en un rol más ofensivo, y me siento cómodo, creo que puedo aportar otras cosas actuando en esta posición".* Moviéndose a espaldas de los dos hombres más defensivos del mediocampo azul, tanto *Hendo* como Keita podían ganar segundas pelotas cuando el Liverpool jugaba en largo. A la hora de defender, ambos jugadores les ayudaban a Alexander-Arnold y a Robertson por los lados, generándoles un dos contra uno a los extremos ofensivos del Chelsea, lo que desactivaba todos los ataques.

Poco a poco el Liverpool fue metiendo al Chelsea contra su arco y la línea de cinco volantes que había plantado Sarri cada vez estaba más cerca de su propia área. Solo por una cuestión de precisión el resultado se mantenía 0-0 y los de Londres solo dependían de corridas solitarias de Hazard frente a tres o cuatro camisetas rojas que lo reducían con facilidad.

Los *Reds* sumaban a Robertson y Alexander-Arnold por los costados bien abiertos, y ponían siete jugadores ofensivos en cada ataque, pero no conseguían generar espacios. Entonces Klopp tomó una decisión en el entretiempo que permitiría abrir algunos huecos en la defensa rival: les pidió tanto a Mané como a Salah que mientras uno se ubicaba como extremo en un costado, el otro debía cerrarse para estrechar las líneas defensivas del Chelsea, mientras que Henderson y Keita seguirían también por dentro para atacar al vacío.A los cinco minutos del complemento Salah tomó la pelota por la derecha, dibujó una pared con Firmino que estaba en el centro, se la dio a Henderson y este lanzó el centro bombeado para Mané, que ingresó sin marca por el segundo palo a pesar de los ocho jugadores del Chelsea que estaban en el área. Seguido al primer gol, cayó el segundo, casi sin tiempo para que los de Sarri reaccionaran. Nuevamente Salah tomó la pelota abierto, Henderson corrió al espacio que dejaba el propio egipcio y tanto Firmino como Mané se ubicaron entre los mediocampistas y los defensores del Chelsea. Cuando Salah fue hacia adentro dejó en el camino a Henderson y ya tenía el remate directo al arco. Párrafo aparte para el golazo de *Mo* que encaminaba la victoria de los locales en apenas seis minutos de la segunda mitad.

Si bien Hazard tuvo dos ocasiones muy claras para descontar (primero el palo se lo negó y luego Alisson se quedó con el mano a mano) en general el Liverpool no volvería a sufrir. Y el último enfrentamiento entre Sarri y Klopp quedaría en manos del alemán. Sin embargo, el italiano quedaría satisfecho: *"Estuvimos en juego siempre, hace tres meses eso no hubiera pasado, no hubiéramos sido capaces de hacerlo. Estamos mejorando. En Inglaterra es muy difícil, el nivel es realmente alto, sobre todo si se trata del Liverpool y del Manchester City. Pero estamos cada vez más cerca de estos equipos".*

El Liverpool seguía puntero, con dos unidades más que el Manchester City, que aún debía un partido y Klopp se iba conforme: *"Creo que algunas cosas no salieron bien en el primer tiempo, ya lo sé, fueron pequeñas cosas y logramos la victoria, pero debimos mejorar en la segunda mitad. Sobre todo, fuimos más flexibles en el lado derecho que es por donde llegaron los goles. Si bien dominamos ochenta minutos del partido, se pudo haber complicado en esos diez minutos en los que el Chelsea tuvo algunas situaciones muy claras que fueron salvados por el poste y por Alisson. Pero en general fue un partido fantástico con un ambiente genial".*

El balance general de estos tres enfrentamientos fue de un triunfo para cada lado y un empate. El fútbol que desarrollaron fue de alto vuelo y de un gran despliegue táctico, con la única misión de dañar al rival y con el arco de enfrente como objetivo. Lamentablemente, la serie iba a ser muy corta, solo duraría tres capítulos: Maurizio Sarri continuaría su camino en Italia, luego de aceptar una oferta de la Juventus y dejaría Londres a pesar de haber obtenido la UEFA Europa League tras ganarle la final al Arsenal. Sin embargo, regalaron el disfrute de algunos de los partidos más entretenidos a nivel propuesta de la mejor liga del mundo, y los máximos responsables se divertían mientras daban las indicaciones desde el banco.

## 3.8
## EL AÑO DE SALAH

### "Se necesitan jugadores que hagan cosas decisivas"

Muchos le dicen el Messi egipcio por su velocidad, gambeta y definición que lo convirtieron en uno de los atacantes más determinantes del mundo. La gran figura del Liverpool demuestra día a día que es uno de los mejores futbolistas del planeta en la actualidad, pero hubo un quiebre, una temporada en la que rompió todos los récords de goles de la Premier League y en la que luego se quedó con el premio al mejor jugador del torneo. Además, en la campaña 2017/18 quedó solo a un paso de ganar el premio "The Best", que finalmente fue para el croata Luka Modric, que había ganado la Champions con el Real Madrid (justamente al vencer en la final al Liverpool de Salah) y había sido finalista del Mundial que ganó Francia.

Su historia comienza en Basyoun, la pequeña ciudad egipcia donde nació el 15 de junio de 1992. Ubicada en la provincia de Gharbia, la décima más grande de Egipto, se caracteriza por el cultivo de algodón y la industria textil. Con solo un 30% de urbanización, sus habitantes residen en zonas rurales, aunque hoy en día prestan más atención al fútbol que a cualquier otra actividad.

Cuando era chico y empezaba a encaminar su carrera como futbolista, Salah comenzó jugando en un club ubicado en esta pequeña ciudad, a solo media hora de su casa. Luego firmó con otro club localizado en Tanta, a unos cuarenta kilómetros de Basyoun pero que representaba una hora y media de viaje. A pesar de la idea de su padre de que se dedicara plenamente a estudiar, *Mo* superó todas las adversidades para cumplir su sueño de ser futbolista profesional y logró un contrato con Arab Contractors SC: *"En ese entonces, para ir a los entrenamientos tenía que viajar cuatro horas y media, durante cinco días de la semana. Tenía que irme temprano de la escuela. Cursaba de las siete hasta las nueve de la mañana, porque el club me había dado un papel firmado que me autorizaba a retirarme en ese horario para llegar al entrenamiento de las dos de la tarde. Iba a la escuela solo por dos horas. Si no hubiera llegado a ser futbolista todo sería muy difícil hoy. Terminaba de entrenar a las seis de la tarde, y ya era momento de emprender la vuelta a casa. Llegaba a las diez de la noche, comía, me iba a dormir y al otro día la misma rutina"*, contó algunos años después.

Su padre, que en un principio se negaba a que el fútbol fuera su medio de vida, reaccionó cuando un día lo vio jugar para el equipo de la ciudad de El Cairo: *"Fue como seguir una voluntad del más allá"*, confesó Ghaly Salah, y así fue como se esforzó para pagar los cinco colectivos diarios que implicaban el desplazamiento para poder entrenar.

Según publicó la revista argentina *El Gráfico*, en un comienzo, su entrenador de aquel entonces, Al Shesheni, lo colocaba en la posición de lateral, hasta que un día vencieron 4-0 al ENPPI y mientras todos festejaban, Salah lloraba porque no había podido convertir ningún gol: *"Le dije que lo iba a cambiar de puesto por su velocidad y pasión por hacer goles. Cuando pasó al ataque, metió 35 goles en una temporada con la Sub-16 y Sub-17"*. Desde entonces no dejaría el ataque hasta ser el depredador que hoy el mundo entero valora.

En 2010 debutó en la primera división del Arab Contractors SC y convirtió un gol en ese mismo partido. Tras dos años en el primer equipo, el 2012 sería el año que marcaría de por vida al egipcio. La liga se suspendió en marzo tras la mayor tragedia en la historia del fútbol de Egipto. En Port Said, Al Ahly visitaba a Al Masry. Desde el comienzo del partido se habían producido amenazas de los hinchas locales hacia los jugadores y los simpatizantes rivales, el árbitro pitó el final con victoria 3-1 de los locales y las fuerzas de seguridad no pudieron impedir la invasión de los miles de hinchas de Al Masry que ingresaron al campo de juego para linchar a los futbolistas del Al Alhy. Además, irrumpieron en la tribuna de los seguidores de Al Ahly y el número total reportó 74 muertos y 248 heridos. Según el delegado de Sanidad de Port Said, Helmy Ali al Afny: *"La mayor parte de los fallecidos perdieron la vida por traumatismos y hemorragias, aunque también hubo un gran número de ingresados por caídas desde las tribunas del estadio"*.

La ola de violencia en Egipto tenía ya varios años, pero tuvo su punto máximo en el 2011 durante la llamada *"Primavera Egipcia"*, cuando en Oriente Medio y el Norte de África hubo un estallido de protestas populares y exigencias de reformas. Comenzó en Túnez y, en cuestión de semanas, se extendió a Egipto, Yemen, Bahréin, Libia y Siria. Muchos líderes autoritarios que ostentaban el poder desde hacía décadas fueron derrocados. Entre ellos se encontraba Hosni Mubarak, de Egipto. Sin embargo, la respuesta a estos movimientos fue simplemente más violencia, sobre todo entre el pueblo y las fuerzas de seguridad del estado. Desde entonces muchas personas críticas con el gobierno fueron asesinadas, mientras que otras permanecen en prisión hasta estos días. La tragedia de Port Said es solo uno de los ejemplos de esta ola de violencia que acompaña a la región desde hace años. Pero aquella noche sangrienta del 1º de febrero de 2012 marcaría la salida de Mohamed Salah de Egipto para continuar su carrera en el extranjero.

A causa de la tragedia, el Basilea de Suiza organizó un partido amistoso con la Sub-23 de Egipto. La intención era ver a un joven de 20 años del que se hablaban maravillas y al cual ya habían observado durante el Mundial sub-20 en Colombia el año anterior. Salah entró en el segundo tiempo de aquel partido y metió dos goles para el triunfo 4-3, lo que originó la invitación del club helvético para entrenar a prueba durante un tiempo… Apenas quince días después se acordó la incorporación del egipcio con un contrato de cuatro años, hasta junio de 2016 y el Arab Contractors se llevaba 1,5 millones de euros por la operación: *"Siento que comienza un sueño. Espero cumplir para abrir puertas a nuevos jugadores egipcios en Suiza y en Europa. Trataré de ser uno de esos que trabajan duro para mejorar"*, declaró Salah tras rubricar la firma.

En Basilea convirtió 20 tantos en dos temporadas y conquistó la Super Liga Suiza 2013, año en que fue galardonado con un premio que luego se haría más habitual en los años posteriores, el de "Futbolista africano del año".

Si un amistoso frente al Basel en 2012 fue determinante para que este equipo se haga con sus servicios, lo mismo podemos decir del Chelsea en 2013. Los dos grandes partidos que protagonizó ante los *Blues* de José Mourinho en la fase de grupos de aquella Champions 2013/14 (anotando tanto de local como en Stamford Bridge) fueron fundamentales para que luego de unos meses, el cuadro de la capital inglesa cerrara su traspaso por 8,5 millones de euros. Con solo dos goles en toda la temporada y con mucha competencia en el puesto, el DT portugués consideró que lo mejor era cederlo a préstamo para que tomara rodaje en otro equipo europeo. Eden Hazard rememora aquel momento en el que Salah aún no había encontrado su techo como futbolista: *"No tuvo oportunidades, quizá por el entrenador o quizá por el plantel, no lo sabemos. Lo que es seguro es que es un jugador de clase mundial. En los entrenamientos lo veíamos en acción y recuerdo que cuando jugó hizo algunos goles que demostraban toda su calidad"*. El propio *Mo* lo recuerda como un equipo en el que no tuvo las posibilidades que merecería cualquier jugador: *"No triunfé en Chelsea porque no tuve muchos partidos. Permanecí un año, pero sólo jugué los primeros seis meses. Después de eso, apenas participé"*.

En marzo de 2019 Mourinho efectuaba su labor como comentarista en un partido entre Everton y Liverpool en la Premier League, y explicó su punto de vista sobre la relación entre el egipcio y el Chelsea: *"Llegó procedente del Basilea, como un niño solitario, un niño ingenuo, completamente fuera de contexto y físicamente frágil. Luego se fue a Italia. Tuvo la experiencia en la Fiorentina, la experiencia en la Roma y cuando volvió a Inglaterra se adaptó completamente al alto nivel del fútbol europeo. Ahora tiene una mayor comprensión del juego y es físicamente mucho más fornido. Se puede ver que su cuerpo y su estado físico es mucho más fuerte y mucho más seguro"*.

La Fiorentina sería su nuevo club y el interés por el colombiano Juan Guillermo Cuadrado (que pasaría al Chelsea) iba a acelerar los trámites. Al llegar a Italia decidió que el dorsal de su camiseta fuera el número 74, en homenaje a las víctimas de Port Said. Allí comenzaría de forma arrolladora tras convertir seis goles en los primeros siete partidos, pero no volvería a marcar en toda la temporada. Sin embargo, ese inicio de campaña iba a hacer que la Roma quisiera tenerlo en sus filas tras desembolsar cinco millones de euros al Chelsea por un nuevo préstamo, con quince millones de opción de compra.

El extremismo táctico que envuelve al *calcio* le dio a Salah muchos más argumentos para expresarse en plenitud. Mientras que antes era un futbolista totalmente vertical, ahora iba a aprender a aprovechar los momentos, asociarse y atacar los espacios. La

Roma hizo uso de esa opción de compra y lo retuvo todo el tiempo que pudo. En 83 partidos marcó 34 cuatro goles y dio 24 asistencias. Obviamente, ante tal rendimiento, los grandes de Europa estaban al acecho y el 22 de junio de 2017 se convirtió en la figura que Klopp llevaba al Liverpool, a cambio de 42 millones de euros, para completar su tridente mágico de ataque: *"Salah tiene la combinación perfecta de potencia y experiencia. Posee cualidades que mejoran a nuestro equipo. Esto es emocionante"*, sentenciaba el alemán luego de la presentación en Anfield.

Por su parte, el delantero no se quedaba atrás para expresar su felicidad: *"Los atacantes del Liverpool jugaron bien la pasada campaña. Mané estuvo fantástico. Coutinho, Firmino, Lallana... Todos hicieron una gran temporada y quiero ayudar a este club a ganar. Quería volver a la Premier y lo hago siendo mejor"*.

En Egipto ya comenzaba a levantarse una leyenda. Desde que en 2017 metió a su Selección en el Mundial de Rusia del año siguiente, *Mo* Salah era considerado un héroe. Con este paso al club más futbolero de la Premier League, y uno de los más grandes del mundo, lo único que hacía su nombre era agigantarse. El hecho de que sea un jugador de éxito mundial y que promueva su religión musulmana en el mundo occidental es una gran referencia para todos los jóvenes egipcios: *"Yo siento una responsabilidad con mi país en el sentido de que quiero siempre ser ejemplo. Que me vean y se sientan orgullosos. En Egipto hay como 100 millones de personas que me siguen y quiero siempre representarlos de la mejor forma posible"*, declaró al diario argentino *Clarín* en 2018. Su éxito iba más allá del fútbol.

Ese mismo año obtuvo un millón de votos en los comicios para elegir presidente en Egipto. Sin presentarse, quedó en segundo lugar, detrás de Abdul Fattah al-Sisi que fue reelecto. Se quedó con el 5% del total, superando a Moussa Mustafa Moussa, el otro candidato, que apenas alcanzó el 3%.

La locura del año de Salah comenzaría desde el minuto cero esa temporada. En la fecha 1 frente al Watford, anotó en su estreno vistiendo la camiseta del Liverpool por Premier League. Era, además, el estreno del tridente ofensivo que completaban el senegalés Mané y el brasileño Firmino. Casualmente, los tres iban a convertir en aquel empate 3-3.

Pero aquello era solo el comienzo de lo que vendría a continuación y que, a día de hoy, no ha terminado. En las semifinales de la Champions League el Liverpool venció a la Roma 5-2 y Salah se convirtió en el 14º futbolista en lograr un mínimo de diez goles en una sola temporada de la Champions. De esta manera se sumaba a nombres del peso de Rivaldo, Del Piero, Raúl, Messi, Cristiano Ronaldo, Lewandowski, Ibrahimovic y Neymar. Además, en ese partido se transformó en el primer futbolista en marcar por duplicado y dar dos asistencias en un partido de semifinales de esta competición.

Vale repasar brevemente los récords que destrozó el egipcio en aquella campaña al mando de Jürgen Klopp:

1) Mejor debutante de la historia del Liverpool. Con un total de 44 goles (32 en Premier, uno en Copa y once en Champions) en los 51 partidos que disputó durante la temporada. Con estas cifras superó, por lejos, a Fernando Torres (33 goles en la 2007-08) como el debutante con más goles en la historia de los *Reds*.

2) Esos 44 goles son la mejor cosecha para el Liverpool desde que comenzó el actual formato "Premier" en 1992 (año en el que Salah nació).

3) Más partidos marcando durante una temporada en el Liverpool. Salah hizo goles en 34 partidos, superando el récord del galés Ian Rush (31 encuentros en 1983/84). Teniendo en cuenta solo la Premier, Cristiano Ronaldo y Robin van Persie compartían el récord de más partidos anotando goles (21); Salah llegó a 24.

4) Récord de eficacia en la goleada ante el Watford. Marcó cuatro goles con cuatro tiros al arco, lo que no se conseguía en la Premier League desde que el ruso Andréi Arshavin anotara por cuatro con el Arsenal al Liverpool de *Rafa* Benítez en 2009.

5) Máximo goleador africano en una temporada de Premier League tras superar los 29 goles del marfileño Didier Drogba con el Chelsea en la campaña 2009/10.

6) Máximo goleador africano en una temporada de Champions League tras superar el récord del camerunés Samuel Eto'o cuando jugaba en el Inter.

7) Máximo goleador con la camiseta del Liverpool en una Premier. Con los 32 tantos, superó por un gol al uruguayo Luis Suárez, que tenía el récord desde el torneo 2013/14.

Con todos esos números espectaculares parecería raro que no haya ganado el *Botín de Oro* al terminar la temporada a mediados de 2018. Pero nada resulta tan extraño cuando se compite contra un extraterrestre como Lionel Messi, que consiguió un gol más que el egipcio y se coronó como máximo goleador (33) de las grandes ligas europeas.

Pero entonces ¿Cuál fue el click que logró Klopp para que el egipcio dejara de ser un extremo derecho y se convirtiera en un depredador del gol? Desde esa temporada se vería a Salah mucho más como un delantero que como un extremo, sobre todo al generarle los espacios que le dieran la posibilidad de recibir la pelota en una posición mucho más cercana al área rival. Al colocarlo mucho más por el centro que por la banda, ahora iba a recibir la pelota para construir los ataques o definirlos, pero desde esta temporada dejaría de ser un jugador intrascendente que se limitaba a depender de su velocidad por la banda derecha para marcar la diferencia. El enorme talento para eludir rivales y finalizar las acciones le dieron la posibilidad de aprovechar al máximo el nuevo rol que le dio Klopp. El Heavy Metal le sentaba de maravilla, y para esto, encontró en Firmino al socio ideal. Cada jugada comenzada por Salah buscaba el pase al brasileño, y luego rápidamente corría a recibir la devolución bien cerca del área para rematar al arco tras la pared.

Esa posición tan central y que lo hacía finalizar todos los ataques dentro del área le dio la chance también de generar muchas asistencias, porque además de sus 32 goles, ese primer año le dejaría la marca de nueve asistencias en la Premier League, un número altísimo para un goleador.

Las mejoras más evidentes se vieron en su capacidad de gambetear rivales, la puntería de cara al gol, y los falsos remates que terminaban en una asistencia a un compañero, principalmente a Mané y al escocés Andrew Robertson que entraban solos por el sector izquierdo. Pero principalmente la forma en la que comenzó a tomarse un segundo más a la hora de definir fue lo que lo hizo imparable. Una enorme cantidad de goles fueron producto de amagar un disparo al arco y sacarse la marca de encima, lo que le dejaba la posibilidad de emplear muchas veces su pierna derecha para terminar la jugada solo con el arquero por delante.

*"Es un futbolista fantástico, con una velocidad tremenda. Cuando terminó la temporada pasada pensamos que había cosas que debíamos añadir al equipo, y una de esas era la velocidad, además de mejorar la finalización y la creación de oportunidades. Y él nos aporta todo eso"*, decía Klopp a mediados de 2017, y *Mo* iba a aprovechar al máximo la idea del alemán. Este sistema con cambios de posiciones bastante libres entre Mané, Firmino y Salah le da la posibilidad al egipcio de no tener extenuantes sacrificios a nivel defensivo, lo que además de guardarle energías casi exclusivamente para labores ofensivas, le permite generar muchísimo peligro en los contraataques. Si Salah toma la pelota en campo propio y tiene espacios para correr hacia adelante, lo va a hacer, y pobres de los que tengan que perseguirlo.

El entrenador se deshace en elogios siempre que puede: *"Es un jugador modelo en los distintos roles que le pedimos cumplir, es sensacional contar con él"*. Si el Liverpool domina la pelota, el egipcio marca líneas de pase perfectas para evitar el fuera de juego, si hay que correr para lastimar de contra, también lo hace con determinación.

*"Obviamente este es un deporte de equipo, pero se necesitan jugadores que hagan cosas determinantes, y obviamente él es realmente muy bueno haciendo cosas decisivas. Estamos realmente muy felices de que haya llegado en el verano pasado"*, explicaba Klopp después de eliminar a la Roma con dos goles y dos asistencias de Salah, por las semifinales de la Champions League.

Klopp encontró a su jugador franquicia para la temporada que lo dejaría a un paso de ganar la Champions League y a unos centímetros de quedarse con la Premier. La habilidad de Mané y la calidad de Firmino ahora tenían la potencia y los goles de Salah. El tridente estaba completo y quería coronar todo su talento elevando un trofeo al cielo.

## 3.9
## FINAL VS REAL MADRID EN KIEV

*"Nadie recordará cómo jugamos ante el Real Madrid"*

Los tres mosqueteros de Anfield ya habían dado una de sus más destacadas funciones en las semifinales frente a la Roma. Aquel 5-2 contundente, con dos goles de Firmino, dos de Salah y el restante de Mané parecía poner un punto final a la serie ante el conjunto italiano. Sin embargo, la reciente remontada en la que Roma había dejado afuera al Barcelona en un partido increíble estaba todavía muy fresca, y la *squadra* de Eusebio di Francesco mantenía la esperanza de repetir la hazaña consumada hacía poco menos de un mes.

Durante las entrevistas previas al partido de vuelta le preguntaron a Klopp si había visto la película Gladiador, y el entrenador contestó a carcajadas: *"Claro, Russell Crowe... Jugará en mi centro del campo"*, pero el actor neozelandés no pudo aguantarse y le contestó vía Twitter: *"Equipo equivocado, ¡¡forza Roma!!"*.

El único cambio para los *Reds*, con respecto al partido de ida, era obligado por la lesión de Oxlade-Chamberlain, quien salió a los 18' del partido con Roma por una ruptura del ligamento cruzado de la rodilla derecha: *"No puedo creer que a una persona tan maravillosa, en una situación tan positiva como en la que ayudó al equipo, le haya sucedido algo como esto. Él volverá. Lo esperaremos como una buena esposa cuando un hombre está en prisión"*, había afirmado el entrenador.

Su reemplazante natural sería el neerlandés Georginio Wijnaldum, quien asumiría el rol protagónico en la mitad de la cancha convirtiendo el gol del 2-1. El primero había sido obra de Mané a los nueve minutos, y tras un primer tiempo sin grandes sobresaltos (más allá del gol de Milner en contra) el Liverpool parecía tener controladas las acciones. Sin embargo, nunca iba a ser fácil una clasificación de Champions League, y menos el pasaje a una final.

Tres goles consecutivos colocaron el 4-2 en el marcador, y a la Roma al borde de la clasificación. Por suerte para los ingleses, el cuarto gol, a los 94 minutos, llegó demasiado tarde, y casi no hubo tiempo para nada más. Pero nuevamente un descuido de esos que no hay que cometer en partidos decisivos, casi los mete en el tiempo extra: *"Hubiera sido una locura llegar a una prórroga. Pero hemos pasado, avanzamos a la final y estoy muy contento por los chicos, el club, la afición. Y ahora vamos a Kiev, parece una locura, pero vamos a Kiev"*, contaba en la zona mixta el estratega alemán. Y a pesar de tener que jugar ante el Chelsea por Premier League apenas unos días después, también miraba de reojo al Real Madrid: *"Todavía no me han dado trofeos, ni copas, ni medallas. Todavía hay trabajo por hacer, pero ir a la final es algo fantástico. El rival es el Real Madrid, tiene gran experiencia, disputó muchas finales, cuatro veces en cinco años. Tienen experiencia y nosotros no, pero estaremos al máximo. Ellos han tenido suerte ayer, y nosotros también hoy. Debemos jugar dos partidos de Premier League y luego prepararemos la final".*

En la vereda de enfrente quien aterrizaba en la capital ucraniana para quedarse con otro título internacional era ni más ni menos que el Real Madrid. En un traje que a esta altura le quedaba a la perfección, el equipo blanco de Zinedine Zidane pretendía quedarse con su cuarta Copa de Campeones en los últimos cinco años. Tras otras tantas finales en las que llegó como favorito, esta no iba a ser la excepción, y la tranquilidad de tener a futbolistas de la talla de Cristiano Ronaldo, Sergio Ramos, Modric y Kroos entre otros tantos, iba a influir indefectiblemente en el resultado final.

Tras dejar la Premier atrás, y sin ningún tipo de distracción, el foco de Jürgen Klopp estaba puesto en el Madrid: *"Hemos preparado el partido, hemos analizado el juego del Real Madrid y son fuertes de verdad, pero nunca se han enfrentado con nosotros, que somos el Liverpool y en nuestro ADN está ganar títulos grandes".* Y se mostraba fastidioso ante la clásica pregunta del periodismo, que a esa altura lo tildaba como un perdedor de finales: *"Debemos comenzar a ganar, lo sé. Todos me recuerdan que he perdido las últimas cinco finales que disputé, solo puedo decirles que intentaré ganar esta".*

Por jerarquía y experiencia, el candidato al título era el Real Madrid, y Klopp debía apelar al corazón, a la épica, como aquella noche ante el Borussia Dortmund en el pasado cercano, o a la final de Estambul del 2005, cuando el Liverpool se consagró campeón en una de las definiciones más espectaculares de la competición.

Había algo que Klopp no iba a negociar, y era salir a presionar lo más arriba posible a un Real Madrid que seguramente intentaría sacar el balón limpio desde el fondo. Para esa tarea necesitaba, una vez más, un trabajo excepcional de su trío ofensivo. En la mitad de la cancha Wijnaldum, Henderson y Milner, tenían que ser puro sacrificio para acompañar a los tres delanteros y no dejar que Kroos y Modric manejen el partido a placer. Si esto último ocurría, las chances del Liverpool se volvían mínimas. En este equipo inglés, y probablemente más que nunca por tratarse del Real Madrid, mientras más atrás se recuperara la pelota, más difícil de sostener sería el resultado. La dupla central de Van Dijk y Lovren venía mostrando últimamente algunos desajustes, y el alemán Loris Karius en el arco no parecía dar la seguridad que necesitaba un equipo al cual le llegaban poco, pero en momentos muy puntuales. Sobre todo, cuando la presión alta fallaba, o el cansancio se hacía notar.

El Madrid de Zidane tenía la capacidad de cambiar de esquema bastante a menudo, pero al tratarse de una final no parecía que el francés fuera a arriesgar con algunos nombres como Lucas Vázquez o Asensio para sentar en el banco a Kroos, Isco, o Modric. Sino más bien se esperaba que todos los jugadores de mayor jerarquía y experiencia estuvieran desde el primer minuto adentro del rectángulo verde. La delantera tan bien compuesta por Cristiano Ronaldo y su socio favorito, Karim Benzema, era una fija en el once, mientras que en defensa tampoco había mucho que especular con una línea de cuatro ya afianzada.

Así las cosas, el equipo Blanco formaría con: *Navas; Carvajal, Varane, Sergio Ramos, Marcelo: Casemiro, Kroos, Modric, Isco; Cristiano Ronaldo y Benzema.* Y Klopp repetía el mismo equipo que en la semifinal de vuelta ante la Roma: *Karius; Alexander-Arnold, Lovren, Van Dijk, Robertson; Henderson, Milner, Wijnaldum; Salah, Firmino y Mané.*

El comienzo de los de Klopp fue como se esperaba, a pura energía para robar e intentar lastimar de inmediato. El 4-4-2 de Zidane mostró, ya desde los primeros minutos, la clara intención de bajar esos decibeles que proponían los ingleses, para que el

Liverpool no pudiera disfrutar del clásico *Gegenpressing*. Mediante una tenencia pausada y una gran cantidad de pases, en principio intrascendentes, el objetivo de fondo era bajarle el ritmo al partido.

Cuando Liverpool salía desde su área, Isco era el encargado de presionar a Henderson, lo que explica claramente por qué Zidane lo colocó como un clásico enganche por detrás de Ronaldo y Benzema. Este movimiento, obligó a Karius a buscar balones largos, tanto para Robertson y Mané en la izquierda, como para Salah y Alexander-Arnold en la derecha. Cuando los de Klopp superaban esa presión inicial, el Real Madrid se armaba con una línea de cinco defensores bien definida, donde Casemiro oficiaba de tercer central, y por delante de él se ubicaban Isco, Modric y Kroos.

Tanto Salah como Mané jugaron más por el centro de lo habitual, generando que tanto Carvajal como Marcelo se cerraran y dejaran muchos espacios por afuera. Espacios que fueron aprovechados sobre todo por Robertson, pero también por Alexander-Arnold. El juego directo y esos pequeños detalles tácticos hicieron que el Liverpool haya tenido varias chances para ponerse en ventaja. Pero en este nivel, perdonar al Real Madrid es un pecado que se puede pagar muy caro. Y a los 30 minutos se dio un quiebre en el encuentro: Mohamed Salah se fue al piso en un forcejeo con Sergio Ramos y sufrió la, a esta altura famosa, lesión en su hombro izquierdo. La salida de uno de los principales valores de Klopp no podía resultar intrascendente, y el entrenador entendía el agarrón de Ramos como un hecho nacido en la mala intención: *"Si lo vuelves a ver y no eres del Real Madrid piensas que es despiadado y brutal. Si juntas todas las acciones de Ramos, y he visto fútbol desde que tenía cinco años, verás que pasan muchas cosas con Ramos. Creo que en una situación como la de Ramos con Salah alguien necesita juzgarla mejor"*, y luego comentó la acción en la que el defensor le dio un codazo al arquero Karius: *"No estoy seguro si será algo que volvamos a ver: darle un codazo al portero, derribar a un rival como un luchador en el centro del campo y luego ganar el partido"*.

Por su parte, el central español se defendió: *"Le han dado mucha bola al tema de Salah. No he querido hablar porque al final se magnifica, pero viendo bien la jugada, él me agarra primero del brazo y yo caigo al otro lado, de hecho, se lesiona el otro brazo pero dicen que le hice una llave de judo. El portero dice que estaba conmocionado por un choque conmigo. Solo falta que Firmino diga que estaba resfriado porque le cayó una gota de sudor mía".* Y cerró con un dardo venenoso para Salah: *"Si se hubiera infiltrado podría incluso haber jugado la segunda parte. Yo a veces lo he hecho y tampoco ha sido para tanto. Parece que cuando lo hace Ramos se destaca un poco más. Será que cuando estás en el Real Madrid y ganas tantos años, la gente lo mira de otra manera".* El egipcio, muy raras veces responde a este tipo de agresiones, pero esta vez era demasiado: *"¿Quizás podría decirme también si voy a estar listo para el Mundial?"*, Mundial de Rusia al que, dicho sea de paso, Salah llegó con lo justo y hasta tuvo que perderse el primer partido.

Cuando se dislocó el hombro en la final, en su lugar ingresó Adam Lallana, más acostumbrado a oficiar de mediocampista que como delantero. Su participación modificó el esquema del Liverpool a algo más parecido a un 4-5-1, con Mané por la derecha y el mencionado Lallana por la izquierda. A partir de allí el Real Madrid tomó el control. Se apoderó de la pelota y la presión de los de Klopp mermó considerablemente.

Para ayudar en la construcción del juego, tanto Ronaldo como Benzema comenzaron a colocarse por detrás de los mediocampistas *Reds*, y el lugar favorito para atacar era con balones largos a espaldas de Alexander-Arnold. Un sector fundamentalmente debilitado por la falta de costumbre de Mané a la hora de defender por allí.

La lesión de Salah no solo privaba al Liverpool de su principal figura, había modificado todo un plan de juego, y el Real Madrid le sacó provecho. Los espacios aparecían cada vez con más frecuencia, Kroos y Modric se hicieron dueños del partido, y Benzema tras un rebote de Karius pudo capturar la pelota y definir para el 1-0.

Desde ese momento, los de Klopp necesitaban que termine ese primer tiempo para reordenarse y trazar un nuevo plan. De seguir así no había posibilidad de reacción, y el Real Madrid podía ampliar la ventaja en cualquier momento. A los 10 minutos del segundo tiempo, un córner parecía la oportunidad perfecta para someter a un Madrid que mantenía la calma. Centro flotado desde la derecha, cabezazo de Lovren, y Sadio Mané estampaba el empate 1-1. El gol les devolvió a los rojos la intensidad que necesitaban, y salieron a presionar como locos tras el saque del medio del Madrid.

Cinco minutos después del empate, Zidane movió el banco y mandó a Gareth Bale a la cancha. Pero el galés ni siquiera tuvo tiempo a participar de las acciones, para cuando Karius cometió su segundo infortunio de la noche. En su afán por salir rápido con Lovren, le cedió el balón a Benzema, quien capitalizó el inesperado error del arquero: 2-1. Otra vez a remar desde atrás, y si bien el golpe volvería a hacer más intenso al Liverpool, el Real Madrid no se equivocó de nuevo.

A falta de 8 minutos para el final, llegó la foto de esa Champions League: una chilena espectacular de Bale, que ya ubicado como centrodelantero, hacía saltar de su asiento a cualquier hincha del fútbol que estuviera mirando la televisión. Exceptuando a los de Liverpool, que a esa altura estaban hundidos.

No se puede dejar de destacar que la suerte cayó a favor del Real Madrid en varias ocasiones. Primero tras ese comienzo dominante del Liverpool en el que no pudo convertir, luego con la lesión de Salah, y más tarde con el grosero error del arquero Karius. Sin embargo, sería injusto que la explicación de la tercera consagración del Madrid en forma consecutiva sea observada desde ese ángulo. A la máxima del fútbol que sostiene que *"las delanteras ganan partidos, pero las defensas conquistan campeonatos"*, habría que añadirle la participación fundamental que tienen los arqueros en los títulos de los grandes clubes.

Klopp volvía a caer en una final y la historia parecía no tener fin. Alguna vez Marcelo Bielsa, tras una injusta derrota mientras dirigía al Olympique de Marsella, les aconsejó a sus jugadores: *"Traguen veneno, todo se equilibra al final"*. Si de eso se trataba, Klopp ya no tenía más espacio: *"Las lesiones forman parte del deporte. No sé lo que hubiera sucedido, pero la primera media hora jugamos muy bien, era lo que todo el mundo esperaba. Buen juego, buenas ocasiones, pero nadie hablará de cómo perdimos y sí de que el campeón fue el Real Madrid. No he hablado con Karius. Lo siento por él. Seguro que se recordarán sus fallos y no cómo jugamos ante el Real Madrid. Hay que aceptarlo, queríamos todo y no ganamos nada".*

Quizá Bielsa tenía razón y las derrotas que se habían obstinado con Jürgen Klopp hasta aquel 26 de mayo del 2018 aseguraban un futuro lleno de éxitos. Sencillamente, en el fútbol, todo es una cuestión de tiempo y aquel no era el momento.

## 3.10
## EL FACTOR VAN DIJK

### "Podría escribir un libro sobre cuánto me gusta Van Dijk"

Virgil van Dijk juega un papel trascendental en el éxito que Jürgen Klopp consiguió en Liverpool. Desde su llegada, junto con la del brasileño Alisson Becker al arco, los de Anfield consiguieron el componente que cualquier equipo competitivo necesita para quedarse con los objetivos importantes. Básicamente, cuando los clubes poderosos de Inglaterra no consiguen la Premier o la Champions, la temporada está cerca de ser un "fracaso", aunque en estos últimos años, el tremendo poderío económico del Manchester City suele dejar a todos peleando por el segundo puesto. Cuando las armas son tan desiguales no hay mucho que hacer al respecto, excepto competir de manera inteligente, tanto dentro de la cancha como en el mercado de pases. Klopp sabía que necesitaba un salto de calidad que sea voz de mando en la zaga central y tenía bien claro dónde debían realizar la inversión más grande en la historia del club. La dupla conformada por el croata Lovren y el estonio Ragnar Klavan necesitaba reformarse y todos apuntaban al joven que había sido la revelación del Southampton en las últimas dos temporadas. Van Dijk había pasado por todas las etapas que necesita un futbolista para adquirir la experiencia que demanda un gigante como Liverpool.

Su camino comenzó hace 10 años cuando trabajaba como lavaplatos y era ayudante de cocina en un restaurante llamado *Oncle Jean*, ubicado en Breda, la ciudad donde nació. Tenía apenas 17 años y por entonces jugaba en las inferiores del Willem II. El equipo de la ciudad de Tilburgo suponía una gran proyección para el joven Virgil. Por allí han pasado jugadores como Frenkie de Jong, Alexander Isak o Marc Overmars. Mientras que Jan van Loon, de pasado en el Arsenal y Wolfsburgo, era el responsable de la academia del equipo: *"Ningún delantero tenía nada que hacer contra él. Era muy fuerte y tenía un talento natural para quitarle el balón a los oponentes en el momento adecuado. Aunque aún le quedaba bastante por aprender, su posicionamiento táctico era increíble, como si supiera de manera intuitiva cómo defender. Aunque a veces podía parecer que no te hacía caso porque era muy confiado, lo cierto es que se quedaba con todo"*, contó en una entrevista con la revista inglesa *FourFourTwo*.

En aquella época, su padre lo iba a buscar para llevarlo del restaurant a los entrenamientos, y Jacques Lips, su jefe en aquel momento, hoy no puede salir de su asombro: *"Solía decirle que se quedara lavando platos y dejara de entrenar para ser profesional, así al menos iba a tener la posibilidad de hacer dinero"*. En aquel entonces ganaba algo cercano a los 4 euros por hora, hoy creo que no es necesario hacer la cuenta, pero probablemente el dueño del restaurant la hizo más de una vez: *"Hoy vale 85 millones, sigo sin creer que valga tanto"*.

En contrapunto, quien hoy también habla de él es un tal Lionel Messi, que de encarar zagueros y dejarlos desparramados sabe bastante: *"Es un defensor que sabe medir los tiempos y esperar al momento justo para entrar o aguantar. Es muy rápido y grandote, pero posee mucha agilidad para la estatura que tiene"*. La declaración vino después de la estrepitosa derrota 4-0 del Barcelona en Anfield, donde Van Dijk consiguió dejar el arco en cero, pero el análisis del genio argentino iba más allá de ese partido y hacía hincapié en su bestial 1,93 metros de altura: *"Es rápido por su gran zancada y su juego aéreo es impresionante, tanto en defensa como en ataque porque marca muchos goles"*.

Después de comenzar su carrera en las inferiores de Willem II de Holanda, llamó la atención del Groningen, donde el 1º de mayo de 2011 y con solo dieciocho años, daba sus primeros pasos al ingresar en los últimos minutos de la penúltima jornada. También entró unos minutos en siguiente partido, pero lo llamativo es que en ambos jugó como delantero porque el equipo necesitaba convertir, y así lo recuerda su compañero finlandés Tim Sparv: *"Ingresó los últimos 15 o 20 minutos y causaría estragos en el área. Parecía muy confiado en su propia habilidad, a pesar de que eran sus primeros juegos en el equipo, y en una posición diferente a la que estaba acostumbrado. Eso realmente me impresionó"*. Al Groningen le alcanzó para meterse en la pre Europa League con el quinto puesto obtenido, y Van Dijk jugaría un total de 23 compromisos con la camiseta verde.

Pero una de las cuestiones más llamativas ocurrió en el año 2012, y no tuvo nada que ver con lo futbolístico. Un día como cualquier otro, comenzó a sentir un fuerte dolor en el abdomen y tras una visita al hospital la conclusión fue que no tenía nada grave, por lo que debía volver a su casa y hacer un poco de reposo. El dolor siguió por un par de días y hasta su madre tuvo que viajar para ver cómo estaba. Cuando llegó, entendió lo peligroso de la situación y decidió llevarlo a otro hospital. El nuevo diagnóstico: apendicitis que desencadenó una peritonitis y una infección en el riñón derecho. Fue operado de forma urgente: *"Todavía recuerdo estar tumbado en esa cama. Lo único que podía ver eran tubos colgando de mí. Mi cuerpo estaba roto y no podía hacer nada. En un momento como ese, los peores escenarios estaban dando vueltas alrededor de mi cabeza. Mi vida estaba en riesgo"*, declaró el central a *FourFourTwo*. La recuperación le llevó dos meses y pudo retornar a las canchas.

Tras retomar ritmo de competencia, volvió a ser el que era, y sus buenos rendimientos llevaron a que el Celtic de Glasgow se lo llevara por tres millones de euros. El entrenador del equipo escocés en aquel 2013 era Neil Lennon y recuerda que cuando le mostraron un compilado del defensor con jugadas en el Groningen se preguntó *"dónde estaba la trampa"*, e incluso hoy en día no sabe cómo los grandes equipos del viejo continente no lo habían visto a tiempo. Hasta lo comparó con un crack histórico del fútbol inglés: *"Inmediatamente estaba pensando en Rio Ferdinand"*.

Allí ganaría dos títulos de liga y una Copa nacional, con un total de 115 partidos disputados. Durante los dos años en los que permaneció en Escocia fue elegido en el once ideal de la temporada. Como lo dijo su compañero Petter Anderson, se estaba moldeando un jugador con una proyección tremenda: *"Sentí que tenía todo el potencial para convertirse en un defensor realmente bueno, que seguiría jugando en los escenarios más grandes, pero su desarrollo ha resultado ser incluso mejor de lo que podría haber imaginado"*.

Scott Brown, capitán del Celtic, entabló una gran relación con el zaguero y, según el propio Van Dijk, él fue quien le enseñó a mantener la mentalidad ganadora que hoy en día lo convirtió en el mejor defensor del mundo: *"Debía tener eso en mi sistema. En cada juego todos esperaban que ganáramos. Sobre todo, por la forma en que jugábamos, la mayoría de las veces teníamos el sesenta* por ciento de posesión del balón y estábamos atacando todo el tiempo. Eso fue algo que nunca había experimentado en mi carrera anteriormente".

Ahora sí, tras la vidriera que suponía la liga escocesa, grandes clubes del mundo comenzaban a observarlo con más detenimiento. Finalmente, el que desembolsó los quince millones de euros que pedía el Celtic por su pase, fue el Southampton. Ronald Koeman se aseguró la ficha del central durante el último día del mercado de verano del 2015. El joven de 24 años se instalaba en la Premier League, que lejos estaría de verlo fracasar: *"Siempre fue un sueño para mí jugar en Inglaterra. Era el momento adecuado, y creo que también era el club correcto en ese momento. Obviamente el técnico jugó un papel importante en mi decisión de venir a Southampton. Aprendí mucho y siempre estaré agradecido por mi tiempo allí"*, recordaba el neerlandés en una entrevista con el portal *Goal*, minutos antes de la gala de los premios *The Best*, a la que fue nominado en 2019.

El que no parecía muy contento cuando se hablaba unos días antes de su llegada, era el central titular portugués José Fonte: *"Tenemos la suerte de tener tres muy buenos defensas centrales (por Steven Caulker y el japonés Maya Yoshida, además de él, claro) así que quien quiera que venga tiene trabajo por delante, espero ser elegido entre los titulares"*. Van Dijk por su parte, dejó claro tras unos pocos partidos quien sería la única fija en el fondo de los *Saints* y Caulker debió volver al Queens Park Rangers apenas tres meses después.

En su nuevo equipo se volvió la revelación de la temporada. Su debut oficial fue el 20 de septiembre de 2015 frente al Manchester United, casualmente el clásico rival del equipo que luego lo vería triunfar con la camiseta roja. Una semana después marcaba su primer gol, frente al Swansea, y para mediados de octubre Koeman ya se llevaba todos los aplausos de los hinchas por el central al que había apostado.

Sin embargo, lo mejor llegó en enero del 2016, cuando en una seguidilla de seis partidos consecutivos el equipo no recibió ni un solo gol. La zaga central conformada por Van Dijk y Fonte había encontrado su mejor sintonía y sostenía a un Southampton que obtuvo cinco victorias (una ante el Manchester United de Rooney) y un empate (frente al Arsenal). Luego los resultados irían fluctuando hasta la fecha número 29, desde entonces, el equipo solo caería una vez para finalizar la campaña con un maravilloso sexto lugar en la tabla.

Una vez el defensor italiano Paolo Maldini dijo que, si tenía que tirarse al piso para recuperar una pelota, eso significaba que antes había cometido un error. Y esa es una gran descripción para el neerlandés, ya que muy pocas veces se lo puede ver lanzándose al suelo en busca de un balón. En general, se lo ve siempre de pie y con mucha presencia física sobre los rivales. Su perfecta interpretación del juego lo hace ubicarse en el lugar correcto para que ese recurso límite no deba ser utilizado.

Otra de las características que más alagaba Ronald Koeman en las diferentes ruedas de prensa era su juego aéreo, y durante su temporada de bautismo en la Premier, conseguiría tres goles: *"Una de sus cualidades es que es un buen cabeceador. También es fuerte defensivamente y su personalidad es importante para el equipo"*.

En aquel Southampton compartía equipo con el senegalés Sadio Mané, y hoy en día continúan siendo compañeros en el Liverpool. Más de una vez en aquel Southampton la vía de escape de Van Dijk ante la presión de los rivales eran los pelotazos largos para que aprovecharan, tanto Mané como el serbio Dušan Tadić, la velocidad por los costados. Algo que se vería aún más a menudo a partir de 2017, cuando en Liverpool el nombre de Tadić en el ala derecha de Virgil fue reemplazado con el de Mohamed Salah.

Con su presencia y sus grandes demostraciones en la mejor liga del planeta, el defensor ya había entrado en el radar de equipos top, y sus principales características serían una tentación, sobre todo, para Jürgen Klopp y *Pep* Guardiola, quienes a mediados de 2017 ya estaban decididos a ir por él. Buscaban exactamente todo lo que Van Dijk podía aportarles: solidez en la línea de fondo para ganar duelos uno contra uno, salida con pelota dominada, inteligencia para salir desde atrás cuando la presión del rival se intensifica, juego aéreo en las dos áreas y capacidad de liderazgo. Con todo ese combo, había curado la fragilidad del Southampton y lo había convertido en un equipo mucho más difícil de vencer. Sentía que su tarea estaba cumplida y estaba listo para dar el salto. De esta forma, forzaría un traspaso al Liverpool, que finalmente se quedaría con sus servicios a cambio de un equivalente a casi 85 millones de euros: *"Tomé la decisión en base a muchas cosas. Otros clubes también estaban interesados, pero Liverpool fue el más fuerte por muchos factores como el técnico, los jugadores, el sistema de juego, los hinchas, la cultura del club, todo el sentimiento que todos tenemos aquí, y la forma en que planeamos hacia el futuro también"*, contó Van Dijk a *Goal*.

La salida no había sido para nada sencilla, el Southampton hizo lo posible para retenerlo, pero como casi siempre, en el fútbol manda el deseo del jugador, y Virgil tuvo que soltarle al club un comunicado para que atienda las ofertas que llegaran por él: *"No me queda más remedio que anunciar, con mucho pesar, que he presentado el 'transfer request' para abandonar el Southampton. Desafortunadamente, no me queda ninguna alternativa después de que el club me informara que me iban a imponer una sanción equivalente a mi salario de dos semanas"*. Además expresaba que las idas y vueltas con respecto a su continuidad habían comenzado hacía ya bastante tiempo: *"Durante los últimos seis meses me he reunido, en varias ocasiones, con miembros de la junta directiva, con el antiguo técnico Claude Puel, y con el nuevo entrenador, Mauricio Pellegrino, para hacerles saber mi deseo de dejar la entidad buscando un nuevo desafío"*.

La decisión estaba tomada y no había nada que el club pudiera hacer. El 1º de enero de 2018 Van Dijk era presentado en Liverpool, acompañado por Jürgen Klopp y prácticamente todas las preguntas rondaron alrededor del precio récord que había desembolsado el club para convertirlo en el defensor más caro del mundo: *"El mercado es así. Lo siento, no tengo la culpa de haber costado ese precio"*, se defendía el neerlandés. Por su lado, Klopp intentaba desplazar el foco de los números: *"Lo primero que deben olvidar los aficionados del Liverpool es el precio. Hablemos solamente del jugador, lo que puede aportar, sus cualidades, su mentalidad, su carácter, todo eso. Y por eso estamos muy contentos"*.

Esas 75 millones de libras que pagaría el equipo de Anfield, iban a superar las 52 millones que había desembolsado un año antes el Manchester City por el lateral francés Benjamin Mendy. Esto transformaba al central de Klopp en el defensor más caro de la historia (luego superado en el 2019 por Harry Maguire) y en el segundo futbolista más costoso de la Premier League, justo detrás del arribo del francés Paul Pogba al Manchester United a cambio de 90 millones de libras.

Antes de su arribo, el Liverpool había recibido 23 goles en 19 partidos de la Premier League. En los siguientes 19 encuentros solo encajó quince, y se metió, además, en la final de la Champions League. Apenas dos meses después de su llegada al club rojo, *La Media Inglesa* -un medio español especializado en fútbol de Inglaterra- publicó un artículo con los principales números en comparación con otros defensores del fútbol mundial. Allí se observaba que Van Dijk ganaba un total 3,6 duelos aéreos por partido, lo que era prácticamente uno más por partido que los demás centrales analizados. Para dar un parámetro, mencionan que Sergio Ramos, en promedio ganaba 0,6 duelos aéreos menos por partido que el central de Klopp. Sin embargo, el alemán sabía que iba a necesitar tiempo para acomodarse a su idea de juego: *"Todavía tiene que adaptarse a nuestro equipo y a nuestro estilo de juego, que es completamente diferente al del Southampton, pero no tengo ninguna duda de que va a tener mucho éxito".*

Defender en un equipo de Klopp es totalmente diferente que hacerlo con el Southampton; se necesita mucha personalidad para ir a presionar alto cuando el equipo está atacando para que las líneas no queden separadas, el delantero rival no debe tener tiempo para pensar, por lo que no hay que dejarle espacio para que controle cómodo la pelota. Su gran lectura del juego iba a ayudar muchísimo en esta faceta, y su físico imponente la haría ganar en los duelos mano a mano cuando los rivales intentaban salir rápido de contraataque. Partido a partido, y ladrillo a ladrillo, Virgil fue construyendo un muro impasable, y de hecho, logró un récord del cual no dejaba de hablarse durante la temporada en la que el Liverpool se quedó con la Champions League y peleó hasta la última jornada en la Premier: con un total de 64 partidos disputados, nadie, absolutamente nadie, había logrado superarlo en un mano a mano. Nunca pudo ser driblado. Desde el 3 de marzo de 2018, cuando enfrentó a Newcastle y Mikel Merino regateó al central, nadie pudo hacerlo nuevamente. Esta marca se sostuvo hasta la final de la Community Shield el 4 de agosto de 2019, cuando el brasileño Gabriel Jesús logró dejarlo en el camino. 64 partidos, ¡519 días!

Uno de sus partidos más espectaculares se dio durante esa Champions que luego pudo conquistar en la recordada final de Madrid. En los octavos de final ante el Bayern Múnich, la ida había terminado 0-0 en suelo británico, por lo que el partido de vuelta en Alemania suponía una prueba de fuego. Klopp entendió que el Bayern iba a monopolizar la pelota porque es lo que mejor saben hacer los muniqueses, entonces presentó un mediocampo de puro combate con Henderson, Milner y Wijnaldum.

Tras casi 25 minutos Van Dijk puso a correr a Sadio Mané, quien rompió la defensa y dejó tirado al arquero Manuel Neuer antes de poner el 1-0. Aquel fue el primer puño en alto de la noche para Jürgen Klopp.

Ese comienzo con asistencia sería solo una pequeña muestra de lo que vendría después: una actuación colosal para sostener al equipo cuando más lo necesitaba y la coronación con su gol de cabeza en el segundo tiempo para el 2-1. Luego Mané sentenciaba las cosas con su segundo gol de la noche. Virgil van Dijk se convertía en el primer jugador del Liverpool en conseguir gol y asistencia como visitante en un partido de ida y vuelta de Champions League, desde que Craig Bellamy lo hiciera en el Camp Nou en febrero de 2007.

Aquel partido en el que volvió a aparecer el "Sistema Anti-Bayern" de Klopp, fue determinante para confirmar que el entrenador no se había equivocado y había llevado otro crack a Liverpool. El neerlandés respondía a la altura de las expectativas del entrenador que ya no encontraba más palabras de elogio: *"Podría escribir un libro sobre cuánto me gusta Van Dijk. Él sabe que puede jugar mejor, pero su nivel es extraordinario"*, aunque también demostraba su felicidad con la actuación del conjunto: *"Pocos equipos pueden decir que le ganaron al Bayern Múnich en Alemania. Nosotros podemos decirlo ahora. Eso es genial. Difícil, pero genial"*.

Lo que vendría luego de unos meses sería el título de Champions League con la elección de Van Dijk como el mejor jugador de la final. Además, el hecho de pelear la Premier hasta la última jornada con el Manchester City de Guardiola no era poca cosa. Más aun considerando que los 97 puntos que consiguieron los *Reds* en esa liga lo convertían en el mejor subcampeón en toda la historia de las cinco grandes ligas europeas.

Siguiendo con los reconocimientos individuales, se quedó con el premio al mejor jugador de la UEFA en la temporada 2018/19, venciendo en la terna final, nada más ni nada menos, que a Lionel Messi y Cristiano Ronaldo. *"Es hora de que un defensor gane premios"*, avisaba Van Dijk unos días antes de la ceremonia de gala. Y se haría justicia.

Klopp había colocado el pilar fundamental para formar su muro rojo. El hecho de que las miradas se vayan con las genialidades de los tres mosqueteros que juegan en el ataque, a veces puede correr el eje de que el central con el número 4 en la espalda es tanto, o más importante aún que sus compañeros. *"Virg es un defensor excepcional, en este momento estoy 100 por ciento seguro de que es el mejor defensor del mundo, por lo que se merece ese premio absolutamente"*, afirmaba su entrenador.

*"Con Jürgen tenemos una conexión especial. Es simplemente fantástico. Es un entrenador muy completo con una idea clara. Además, tiene unas habilidades increíbles para gestionar a sus jugadores, lo hace instintivamente y siempre dice las palabras correctas"*, contó el neerlandés en noviembre de 2019. Y agregó que una de las cuestiones fundamentales es que el alemán logra simplemente *"hacer click"* entre toda la filosofía del club, el personal, los jugadores, y genera que todos sean uno solo.

La calidad del Liverpool en ofensiva ahora tenía su fortísimo respaldo en la defensa, todo un equipo se vio potenciado. ¿De qué sirve hacer tres goles si luego se reciben cuatro? Incluso los laterales tendrían más seguridad para pasar al ataque, ya que las proyecciones tanto de Trent Alexander-Arnold como del escocés Robertson son fundamentales para que el Liverpool despliegue su volumen de juego al máximo. Ahora ambos tenían por detrás una fuente constante de tranquilidad y liderazgo. Primero Lovren, más adelante Joe Gomez y ocasionalmente Joel Matip, iban a ser sus compañeros en la zaga. Lo único insustituible era la presencia de Van Dijk.

Klopp había colocado su último ladrillo. El central "más barato" en la historia del Liverpool.

## 3.11
## LAS ALAS DEL AVIÓN ROJO

### "La forma de ganar los partidos está en los costados"

Si por algo se caracteriza el Liverpool de Klopp es por tener muchas variantes ofensivas para generar situaciones de gol. No solo Salah, Firmino y Mané se encargan de encontrar los espacios, sino que además hay dos jugadores que son los mejores en su puesto y tienen tanta importancia a la hora de atacar como los tres delanteros: Trent Alexander-Arnold y Andrew Robertson son los mejores laterales del mundo y ambos fueron potenciados por Jürgen Klopp para consolidarse como "Las alas de su avión rojo". Título con el que los caracterizó Alex Delmás (@AlexDelmas10), autor de un artículo para la revista *Martí Perarnau* sobre la influencia de ambos jugadores.

Si bien Alexander-Arnold proviene de las divisiones inferiores del Liverpool y tan solo tiene veintiún años, Robertson llegó en el 2017 proveniente del Hull City a cambio de nueve millones de euros.

La idea principal era encontrar el recambio perfecto de Alberto Moreno para cuando necesitara un poco de descanso, pero tras una lesión en un tobillo que dejó al sevillano fuera de las canchas por un tiempo, Robertson demostró sus capacidades de sobra a finales de 2017 y nunca más salió del equipo. Si bien el escocés con sus veinticinco años es figura fundamental del esquema de Klopp, en sus comienzos fue rechazado en las infantiles del Celtic, por lo que tuvo que empezar a hacerse un nombre en el ascenso del fútbol de su país. Empezó a jugar en 2012 para el Queen's Park, de la cuarta división, y tras un año saltó dos categorías para sumarse al Dundee United. Allí nuevamente pasaría un año, hasta que, por su enorme capacidad atlética y sus virtudes tanto en ataque como en defensa, Steve Bruce le vio pasta de Premier League y se lo llevó al Hull City para la temporada 2013/14. Esas tres temporadas entre las que militó en la segunda división, ascendió a la Premier League y volvió a descender, fueron suficientes para llamar la atención de Jürgen

Klopp. El recambio de Alberto Moreno ya tenía nombre y apellido. Andrew Robertson llenaba los casilleros del candidato ideal.

*"En nuestro sistema, los laterales tienen un rol muy importante, especialmente atacando y no sólo defendiendo"*, comentó Klopp en febrero 2019. Ambos jugadores tienen, fundamentalmente, dos funciones a la hora de atacar para aprovechar al máximo las virtudes que les genera el equipo en conjunto. En primer lugar, cuando los avances se dan por el centro del campo de juego, ellos aprovechan las bandas para llegar hasta el fondo y lanzar centros al área. Según las estadísticas oficiales de la Premier en la temporada 2018/19, en total Alexander-Arnold lanzó 201 centros de los cuales 58 (29%) fueron precisos, mientras que su colega del otro lado del campo acertó 33 de 133 (15%). Esa enorme cantidad de lanzamientos al área no son solo desde los últimos metros del ataque, sino que también aprovechan su ubicación desde tres cuartos de cancha para llenar de centros a sus compañeros. Muchas veces es su primera opción y tardan apenas unos segundos en lanzar la pelota al área cuando la reciben.

Pero además son determinantes cuando tanto Salah como Mané, dependiendo de qué lado venga la jugada, se tiran al centro y atraen las marcas que deberían estar monitoreando a los laterales. Por ejemplo, cuando Mané se acerca desde la izquierda hacia el centro, atrae a los rivales, Salah se ubica como extremo en la derecha y queda un callejón enorme para que aproveche Alexander-Arnold por adentro. Y lo mismo ocurre de la otra banda, pero modificando las funciones, y con Robertson explotando esos espacios.

La perfección total, o el mejor concierto que brindaron ambos laterales, se dio el 27 de febrero de 2019 en el categórico 5-0 sobre el Watford. Las cinco asistencias de los goles se las repartieron entre ellos dos. Tres nacieron en los pies de Trent, y dos en los de Robertson. Habían cumplido su función de *"atacar todo el tiempo"*, y como bien lo explicó el lateral derecho al terminar el encuentro: *"El sueño de todos los laterales es dar asistencias, y dar tres pases de gol en un partido es un privilegio. Nos buscaron mucho a Robertson y a mí y pudimos entregar grandes centros que acabaron en goles"*. Robertson por su parte, confesó que entre los dos había un duelo: *"La temporada pasada tuvimos una pequeña competición por ver quién daba más asistencias. Comenzó un poco tarde, pero esta campaña decidimos empezar desde el principio y a ver quién gana".* Un privilegio que se pueden dar solamente los dos mejores laterales del mundo. Y si además juegan en el mismo equipo, como les sucede a ellos, esa puja personal potencia también a los delanteros, quienes aprovechan la pequeña batalla. Muchas veces se observa durante los juegos del Liverpool que cuando hay un gol con asistencia de alguno de los dos, todos se dispersan luego de los festejos y ellos se quedan hablando entre risas, dando muestra de que seguramente llevan la cuenta muy al día.

El tremendo año que tuvo Salah entre finales de 2017 y principios de 2018 tuvo la influencia determinante del buen momento de Alexander-Arnold por su sector, y lo mismo ocurrió con el superlativo nivel de Sadio Mané en la temporada siguiente, beneficiado por la agresividad de Robertson. En noviembre de 2019 en la previa de la victoria 3-1 sobre Manchester City, le consultaron al entrenador cuál era la importancia que le daban los laterales al fútbol del Liverpool: *"Eso es parte de nuestro juego, es parte de nuestro plan, pero no es el único plan. El fútbol moderno es así, debes ser muy fuerte en los costados, como sea que lo hagas, porque el objetivo está en ganar el centro del campo y esa es el área donde hay más gente, así que tienes que encontrar una forma de atravesarlo. La forma está en los costados, entonces o intentas pasar por 'las alas' o buscas encontrar pequeños espacios entre las líneas del medio. Así es el fútbol".*

En el heavy metal de Klopp los extremos son fundamentales para imponer intensidad, desde recuperar la pelota y generar contraataques, hasta la concepción del juego para generar espacios por el centro del campo. Alexander-Arnold y Robertson son incansables: *"Ambos tienen muchas cualidades: buenos cruces, velocidad, mucha astucia, son valiente y se encuentran muy en forma en cuanto a la resistencia física, para que puedan hacer, también, la transición defensiva cuando perdemos la pelota".* En este último comentario Klopp marca un tema fundamental, y es que a la hora de tener que recuperar la posesión, los dos tienen un compromiso enorme con el equipo. De nada servirían las asistencias y todo su trabajo ofensivo si cuando el equipo pierde la pelota se mostrarán indiferentes. Con un defensor como Virgil van Dijk en las espaldas esto se facilita mucho, específicamente desde dos puntos de vista fundamentales. Primero desde un lado puramente futbolístico, porque el neerlandés demuestra una increíble lectura del juego mientras el equipo ataca, para así evitar contraataques. Siempre está atento a cubrir los espacios y la ubicación es una de sus mejores características. Pero además es el encargado de ordenar a todo el equipo desde el fondo. El central es la absoluta voz de mando de Liverpool y es el encargado de llamar la atención de sus compañeros para que estén bien parados. Los dos laterales son los principales beneficiados por esto último, y atacan con la absoluta confianza de que estarán bien cubiertos.

No es casualidad que el pico de rendimiento de ambos jugadores haya sido cuando Van Dijk se afianzó como el mejor central del mundo y obtuvo el premio al mejor jugador del año en la Premier League. Con su presencia, el Liverpool redujo a la mitad la cantidad de goles recibidos, por lo que el lema *"defender bien para atacar mejor",* tuvo su máximo ejemplo.

Durante esa temporada en la que conquistaron la Champions y fueron segundos en Premier League, Trent Alexander-Arnold se convirtió en "Récord Guinness" por ser el defensor con más asistencias en toda la historia de la liga inglesa. En total fueron doce, y sumadas al resto de las competiciones alcanzó la increíble cifra de dieciséis. Con esos números superaba los once pases gol de Andy Hinchcliffe (1994/95) y Leighton Baines (2010/11), ambos con el Everton: *"Es un honor. Siempre he intentado ir hacia adelante y ayudar al equipo a crear tantas ocasiones como fuera posible. Luego es tarea del resto de mis compañeros marcar, por lo que esto no sería posible sin ellos"*, remarcaba tras la entrega del premio. Mientras que Robertson finalizó a solo una asistencia de su compañero, y cerró la campaña con once, igualando las marcas antes mencionadas.

El 3 de octubre de 2019 la conexión llegó a niveles impensados. A los 25' del primer tiempo contra el Salzburgo por la Champions, Robertson comenzó una jugada en la mitad de la cancha y tras una serie de pases entre Firmino y Salah, la pelota llego hasta Alexander-Arnold, que lanzó el centro y como centrodelantero ya se ubicaba el propio Robertson para marcar el 2-0. Una clarísima muestra de lo que ha sido la evolución de los laterales en el fútbol. Diego Simeone sentenció una vez: *"Lo más importante son los laterales, te dan la vida."* Y lo que alguna vez significaron Cafú y Roberto Carlos en

Brasil, o Dani Alves y Jordi Alba en el Barcelona, hoy lo representan los laterales de Klopp.

La capacidad de Trent en la pelota parada le da otro plus para aumentar ese número de asistencias. Tiene una pegada fenomenal y es el encargado de lanzar tanto los córneres como los tiros libres desde el sector derecho. Además, tiene algunos golazos de tiro libre, como en la victoria frente a Chelsea en Stamford Bridge que comenzaba a poner las bases del camino al título de Premier League 2019/20. *"Trent es un jugador fantástico, así que estoy seguro de que el resultado será apretado. Aunque debemos repartirnos los tiros de esquina… hemos discutido si los balones parados deben contar"*, comentaba Robertson con humor al describir la apuesta que tiene con su colega de la otra banda de la cancha.

La leyenda de Liverpool, Steven Gerrard, dejó muy clara su sensación sobre la pareja de Klopp en declaraciones a Paul Gorst, del diario *Liverpool Echo* en noviembre de 2019: *"No se trata de '¿qué tan buenos pueden ser?' porque ya lo son. Lo que tenemos con Trent y Robbo ahora, en este momento, los ubica en el grupo de los 'clase mundial'. Están a la altura de los mejores en su posición, en todo el planeta".*

La profundidad de ambos en el esquema del alemán le da al Liverpool una versatilidad especial. Muchas veces se observa una línea de cinco atacantes, con el tridente ofensivo de Salah, Firmino y Mané, a los que se suman ambos laterales. Son muchos jugadores con características ofensivas, con mucha velocidad y dotados de una gran calidad técnica con la pelota en los pies, lo que los convierte en un equipo contra el que es imposible defenderse.

El filósofo René Descartes escribió en el siglo XVII en "Las pasiones del alma" que *"cuando hemos unido alguna vez algún acto corporal con algún pensamiento, ya nunca se nos deja de presentar uno sin el otro"*. Entonces, cómo hacer para separar pensamiento de acción cuando se menciona la capacidad asistidora de Trent Alexander-Arnold, y que ese pensamiento no lleve a su acción más recordada: el córner rápido que jugó contra el Barcelona para el gol de Divock Origi. Con esa genialidad sellaba el 4-0 en Anfield y el pase a la final de Wembley, y a pesar de la idea de Andrew Robertson de que los tiros de esquina no cuenten para su duelo personal, seguramente aquella noche haya hecho una excepción.

## 3.12
## EL SHOW DE MESSI EN EL CAMP NOU

"Solo tengo una selfie en mi teléfono, y es con Messi..."

El 10 de febrero de 2013, en una entrevista al diario español *El País*, Klopp confesaba: *"Messi es el mejor. Pero tiene que haber vida en algún lugar ahí fuera, en algún otro planeta. Porque él es demasiado bueno y nosotros somos simplemente demasiado malos para él"*.

Cinco años después, le hicieron la clásica pregunta que reciben la mayoría de los entrenadores en el mundo del fútbol: ¿Quién es el mejor jugador del mundo: Messi o Cristiano Ronaldo? La respuesta volvió a ser clara: *"Yo sólo tengo una selfie en mi teléfono móvil. Es con Messi... Y Cristiano estaba en la misma habitación"*.

Los elogios de Jürgen Klopp para con uno de los mejores jugadores de la historia son una constante, e incluso antes de su cruce en las semifinales de la Champions League 2018/19, el entrenador se sentía amenazado por una declaración que el argentino había realizado al comienzo de la temporada: *"Messi dijo que quería recuperar esta copa y me pareció una amenaza, pero nosotros también queremos pasar a la final. Estaría muy bien poder conseguirlo. Sabemos de lo difícil que es enfrentar al Barcelona, por la calidad que tiene. No solo se trata de Messi, pero por supuesto que está ahí. En un Top 5 de la historia del fútbol, Messi estaría en el número 1, es el mejor, sin duda. También están Cristiano y Pelé en ese Top 5... y al resto tendríamos que verlo"*.

Ante la consulta de si este era el partido más difícil de toda su carrera, Klopp respondió con su habitual carcajada: *"No sé si está permitido decirlo aquí, pero los del Real Madrid no fueron partidos fáciles. Y los eliminamos con el Dortmund. ¡Me sirvió para que una vez me dieran mesa en un restaurante de Ibiza cuando me reconocieron! Me dijeron: 'lo siento, no tenemos mesas libres, oh espere, usted venció al Real Madrid, pase por aquí'. Va a ser uno de los partidos más difíciles, sí, pero jugar ante el City tampoco es un paseo por el parque. Los partidos complicados hacen más bonito el fútbol. ¿Sufriremos? Seguro; ¿Tendremos ocasiones? Seguro; ¿Las aprovecharemos? Eso espero... Hay gente que dice que el Barcelona no es como antes, pero es un equipo brillante que lleva veinte años jugando esta competición y tengo una gran ilusión por enfrentarme a ellos, ojalá pueda transmitirla a mis jugadores".*

En lo futbolístico, Klopp contaba con todos sus soldados, exceptuando a Roberto Firmino. El brasileño arrastraba una molestia muscular que lo había dejado fuera del partido con Huddersfield por Premier League, y la decisión de su participación en el Camp Nou iba a ser tomada justo antes del inicio. Finalmente, a pesar de haberse recuperado, no se encontraba al 100% y comenzó en el banco de suplentes. El tridente ofensivo más peligroso del mundo perdía una de sus cartas en lo que era, hasta ese entonces, el partido más importante del año. Su lugar iba a ser ocupado, como en el partido de vuelta ante el Porto en los cuartos de final, por Georginio Wijnaldum.

Ante el cambio obligado de la salida de Firmino, Klopp se inclinaba por un 4-4-2, en el que sorprendía la presencia de Joe Gomez como lateral derecho en lugar de Trent Alexander-Arnold, principalmente por sus características más defensivas. Pero del otro lado, el técnico Ernesto Valverde no se confiaba en la ausencia de "Bobby" y armaba un plan acorde al tridente de Salah, Firmino y Mané: *"Tienen una delantera extraordinaria, un ritmo altísimo y un nivel de presión altísima. Klopp ha trasladado su juego del Dortmund al Liverpool. Solo han perdido un partido en su Liga, es un rival dificilísimo de batir".*

*Los once del Liverpool serían: Alisson; Joe Gómez, Matip, Van Dijk, Robertson; Fabinho, Milner, Wijnaldum, Keita; Mané y Salah.*

Barcelona formarían con su clásico 4-3-3, con la confirmación de Coutinho desde el comienzo: *Ter Stegen; Sergi Roberto, Piqué, Lenglet, Jordi Alba; Busquets, Rakitic, Arturo Vidal; Coutinho, Messi y Suárez.*

El 1º de mayo de 2019, 98.300 personas abarrotaron el Camp Nou. La arenga de Messi al finalizar la entrada en calor lo mostraba como pocas veces se lo había visto. En sus ojos se percibía la desesperación por conseguir un gran resultado que acercara al club al objetivo planteado antes de comenzar la temporada. La idea del entrenador *blaugrana* era, como de costumbre, buscar salidas limpias desde el fondo con Busquets parándose entre los centrales, Rakitic y Vidal detrás de la mitad de la cancha y ambos laterales posicionados a la altura del doble pívot para encontrar espacios.

La presión alta del Liverpool, como dijo Valverde, no era algo que no esperaran, pero incluso sabiendo como jugaría el rival, es muy difícil contrarrestar esa presión con pases cortos. Esto obligó al Barcelona a jugar pelotas en largo a Luis Suárez, y ese era territorio prohibido para el uruguayo si enfrente se encuentra un genio del juego aéreo como Virgil van Dijk.

En quince minutos Messi había desplegado dos arranques de esos que suelta en sus mejores noches, cuando deja desparramados rivales que parecen mostrar una marcha menos. El *Barça* daba la sensación de ceder el protagonismo al Liverpool para lastimarlo de contraataque, y de entrada parecían invertir los roles.

Una vez más, por una lesión temprana, Klopp debía realizar un cambio sobre la marcha. A los veinte minutos Keita sintió un fuerte dolor en un aductor y en su lugar ingresaba el histórico Jordan Henderson, quien asumía el rol que le tocaba y se colocaba la cinta de capitán. El equipo inglés se paró en el medio en forma de rombo, con Wijnaldum oficiando de enganche para lograr presionar a Busquets. Del otro lado, Messi y Coutinho jugaron más por el centro que lo habitual e intercambiaban posiciones, imitando aquella táctica que utilizaron Salah y Mané frente al Real Madrid en la final de la Champions League 2017/18. Esto provocó que los laterales del Liverpool los siguieran, dejando libre los pasillos de los costados, donde Salah y Mané no podían llegar con tanta consistencia. De esa manera llegó el primer gol catalán: Vidal volvió a colocar un gran cambio de frente, Coutinho aprovechó la espalda de Joe Gomez (distraído por el movimiento de Messi tan recostado hacia adentro desde el sector izquierdo) y cedió el balón para Jordi Alba que estaba muy adelantado y con mucho espacio. Este lanzó el centro para Suárez, que anticipó a todos para poner el 1-0 en 23'. Fue el primer gol en aquella Champions League para el uruguayo.

La reacción del Liverpool tras el golpe existió. Y de hecho se plantó en territorio español como un gran equipo. Tras la baja de tensión del Barcelona por estar arriba en el resultado, Fabinho y Keita se encargaron de la distribución. Wijnaldum se movió de falso nueve, en un rol que claramente le quedaba mejor a Firmino, y Mané intentaba aprovechar los espacios que aparecían entre Piqué y Sergi Roberto. Mientras, Salah hacía lo propio del otro lado entre Alba y Lenglet, con Van Dijk oficiando de lanzador.

La superioridad en la mitad de la cancha también fue aprovechada por los cuatro mediocampistas que dispuso Klopp. Cuando Wijnaldum se ubicaba por detrás de los dos delanteros, podían generar superioridad con Milner, Henderson y Fabinho, lo que hacía juntar a todo Barcelona por el centro, dejando libres las bandas para los cambios de frente de Alexander-Arnold y Robertson.

Las chances para el Liverpool llegaron, primero con un mano a mano increíblemente desperdiciado por Mané tras una gran asistencia de Henderson. En el inicio del segundo tiempo, Milner provocó una gran atajada de Ter Stegen para sostener el 1-0. Y unos minutos después Salah volvió a forzar al arquero con un remate de zurda que se metía abajo contra un palo. La arenga de Klopp en el banco era incesante y el Barcelona parecía que no iba a resistir el aluvión rojo. La cuarta jugada de peligro al hilo estuvo en los pies de Milner, tras un maravilloso desborde de Salah: Wijnaldum dejó pasar la pelota entre sus piernas y detrás apareció el mediocampista inglés, de frente y con todo el arco a su merced. Pero la puntería quiso que encuentre las manos enguantadas de Ter Stegen, que a esa altura era la figura preponderante de la noche.

El dominio del Liverpool ya era demasiado evidente, por lo que Valverde decidió sacar de la cancha a un intrascendente Philippe Coutinho para darle ingreso al portugués Nélson Semedo, y así reforzar la defensa. Apenas un minuto después, Messi le cedió una espectacular asistencia a Vidal y el chileno, de manera insólita, quiso buscar un pase a Suárez en lugar de patear al arco. El reproche del número 10 fue acompañado por una cara de incredulidad. El argentino estaba oficialmente encendido cuatro minutos después de esa acción, y tras un rebote en el travesaño por un remate de Suárez con una rodilla, controló con el pecho y empujó la pelota al gol. El Liverpool había perdonado demasiado, y si de perdonar se trata, *Leo* de eso no sabe nada.

A falta de 10 minutos para el final, el partido estaba 2-0. Y aún restaba la última pincelada de Messi en aquella semifinal. Un tiro libre para el que cualquiera hubiera visto una distancia imposible, él vio una oportunidad para dibujar una obra maestra. Aquel gol, su decimosegundo en esa Champions y el número 600 en el Barcelona, definía un 3-0 en principio irremontable, y como si fuera poco, luego fue elegido por la UEFA como el mejor gol de la temporada 2018/19: *"Entró espectacular. La busqué y tuve la suerte de que entró por ahí"*, sentenció el genio rosarino.

Con su actuación, se confirmaban los mayores temores de Klopp: *"En este momento es imparable"*, diría el entrenador luego del partido.

Firmino había ingresado en los últimos minutos y tuvo una muy clara sobre el final, pero Rakitic salvó en la línea y luego Salah reventó un palo. Liverpool tuvo al menos cinco situaciones claras, y un partido que podría haberse decantado con una leve ventaja a favor del *Barça*, mostraba tres goles de diferencia y una eliminatoria prácticamente definida. Sin embargo, el entrenador alemán no se iba disconforme con el rendimiento: *"Contra un equipo así y que juega de esta forma, el fútbol que hemos hecho me deja muy contento. Hemos creado ocasiones, les hemos puesto en problemas y eso es bueno. Perder fuera de casa no es malo mientras marques, y es el problema de esta noche, que no hemos marcado y eso no nos facilita la vida. Mis jugadores se han ganado el respeto por haber jugado muy bien aquí. He disfrutado el partido, aunque lo hemos perdido y no es para nada divertido. Tengo que aceptar estas cosas, estoy orgulloso de mis jugadores. Pase lo que pase, no podría estar más orgulloso de estos jugadores. La gente que vea el resultado y no el partido dirá cosas extrañas. Es un 3-0 pero creo y tengo la idea de que hemos jugado bien"*.

La sensación que dejó el Liverpool era la de un conjunto que había llevado su plan a la perfección, pero que falló en momentos claves. Dembélé podría haber estirado el resultado a un 4-0, pero se perdió un gol increíble y nunca se podrá saber si hubiera definido la serie.

Keita era la primera ausencia confirmada para recibir al Barcelona. Para colmo, Firmino, que estaba entre algodones, se resintió de su lesión en esos últimos minutos que disputó en el Camp Nou y también se perdería la vuelta de las semifinales.

El sábado 4 de mayo, cayó la gota que rebalsó el vaso. La Premier League seguía su marcha y los de Klopp peleaban el título con el Manchester City de Guardiola. Frente a Newcastle, Mohamed Salah sufría un duro choque con el arquero Dubravka y el delantero egipcio debía salir en camilla. Una lesión ya se lo había llevado demasiado temprano de una final de Champions League y ahora quedaba descartado para recibir al Barcelona. El súper tridente ofensivo de los *Reds* quedaba reducido a Sadio Mané, y el entrenador que había calentado un poco la previa al decir que *"el Camp Nou no es un templo del fútbol",* debía remontar un 3-0.

Dos de los mejores delanteros del mundo no estarían disponibles para recibir a Messi y compañía. Era necesario un verdadero milagro, pero como declaró Klopp unos días después: *"Todo es posible, especialmente en Anfield".*

# 3.13
# LA REMONTADA DE ANFIELD - PARTE II

### "No le encuentro explicación a esta noche mágica"

"Never Give Up" (Nunca te rindas) era la frase que rezaba la remera del egipcio Mohamed Salah cuando se lo podía observar deambulando por el césped de Anfield en los minutos previos al partido. Con una campera negra, encapuchado, y con su sonrisa habitual, daba la sensación de saber todo lo que iba ocurrir aquella noche, tildada por el propio Jürgen Klopp de *"El mejor momento deportivo de toda mi carrera"*. Quién hubiera podido imaginar que la catástrofe ocurrida en el Camp Nou hacía solo una semana sería el inicio de uno de los capítulos más espectaculares de toda la historia de la UEFA Champions League.

Si las probabilidades de remontar un 3-0 del Barcelona eran bajas, el porcentaje de éxito se reducía aún más por las ausencias de Keita, Firmino y Salah. No había forma de sostener un estilo de juego que se basaba en la presión constante que iniciaban los tres jugadores de ataque, entre los que ahora solo estaba disponible el senegalés Mané.

El mensaje de Valverde a los suyos era claro, todavía no habían logrado nada y había que salir a la cancha con la misión de hacer olvidar los fantasmas de Roma del año anterior: *"El año pasado también teníamos una ventaja de tres goles y nos remontaron"*, decía el técnico del cuadro catalán que además guardaba a absolutamente todos los titulares en el partido de Liga frente al Celta de Vigo. Una liga que, dicho sea de paso, el Barcelona ya había conquistado hacía unas semanas.

Las estadísticas no jugaban a favor del Liverpool. Siempre que un equipo se impuso por 3-0 en la ida, terminó logrando la clasificación. Y en particular, el Liverpool, no fue capaz de dar vuelta la serie en las dos ocasiones en las que cayó por tres o más goles. La primera se había dado en la Copa de Campeones de 1966/67, en octavos de final, cuando perdió en la ida 5-1 ante Ajax de Holanda y en la vuelta empató 2-2. Mientras que en la Recopa de Europa 1996/97 el PSG ganó 3-0 en la ida de las semifinales, y el 2 a 0 en Anfield dejó a los *Reds* a un paso de la hazaña.

Sin embargo, algunos resultados, y sobre todo en la historia reciente, hacían ilusionar a los dirigidos por Klopp. Aunque se excluyen las derrotas por tres o más goles en la ida, teniendo en cuenta las eliminatorias a doble partido, Liverpool pudo darle la vuelta al resultado en seis ocasiones en sus 54 años de participación en competiciones europeas.

La memoria de corto plazo traía dos remontadas históricas a la mente. La primera, lejos de casa en el "Milagro de Estambul", cuando el Milan de Ancelotti, con un Crespo sobresaliente, iba ganando 3-0 y terminó cayendo en los penales, consagrando de esa forma al Liverpool de *Rafa* Benítez. Luego, en la ya mencionada victoria de Anfield frente al Borussia Dortmund, cuando varios de los protagonistas que hoy estaban presentes en el equipo participaron de aquella velada inolvidable. Pero, sobre todo, con Klopp en el banco.

Del lado del Barcelona, en cada uno de los precedentes europeos en los que se había impuesto por 3-0, luego superó la eliminatoria. Y curiosamente, el último equipo que había remontado ese resultado en un partido de ida, había sido el propio conjunto blaugrana en las semifinales de Champions de 1986, frente al IFK Göteborg, de Suecia.

Divock Origi y Xherdan Shaqiri serían los encargados de reemplazar a Roberto Firmino y Mohamed Salah. Fabinho, Milner y Henderson le debían aportar el corazón y la experiencia que se requieren para no dejar jugar a un mediocampo de cinco estrellas como lo era el del *Barça*.

Klopp necesitaba un partido eléctrico y sin ningún tipo de especulación. Más que nunca debía aprovechar la energía que le iba a entregar toda una ciudad que estaba preparada para ver la historia escribirse ante sus ojos y que no lo iba a dejar caminar solo. A pesar de llegar con algunas molestias físicas, Virgil van Dijk no se iba a perder el partido de su vida, y su presencia confirmaba los once elegidos de Klopp: *Alisson; Alexander-Arnold, Matip, Van Dijk, Robertson; Milner, Henderson, Fabinho; Shaqiri, Origi y Mané.*

Valverde iba a apostar por Vidal en lugar de Arthur, tras el gran juego del chileno en la ida, y además le respetaba el lugar como titular a Coutinho, un viejo conocido en Anfield: *Ter Stegen; Sergi Roberto, Piqué, Lenglet, Alba; Busquets, Vidal, Rakitic; Messi, Suárez y Coutinho.*

El martes 7 de mayo a las 20 horas de Inglaterra, el turco Cüneyt Çakır hacía sonar su silbato y desataba oficialmente una tormenta roja en la ciudad de Liverpool. En apenas unos segundos, el partido que todos imaginaban comenzaba a cobrar forma. El asedio constante de los de Klopp comenzó ante el saque del medio del Barcelona, a quien la pelota le duró tan solo 10 segundos. Antes del minuto Shaqiri ya tenía la primera oportunidad en la puerta del área y la jugada terminaba con un córner para el local.

Nuevamente el equipo de Valverde se veía obligado al pelotazo, y a los seis minutos un error de Alba, con exceso de confianza, le cedió la pelota a Mané, que eludió a Busquets y le jugó el balón a Henderson. El inglés entró al área y remató para exigir a Ter Stegen, quien dio rebote y se la dejó servida a Origi para el 1-0. La primera misión, convertir temprano, estaba cumplida.

Dos minutos después fue amonestado Fabinho, y tanto Busquets como Rakitic empezaron a manejar más la pelota, con lo que el *Barça* pudo acomodarse tras el golpe y comenzar a controlar más el partido.

Tras esos minutos frenéticos basados más en cuestiones pasionales que tácticas, el partido mostró a un Barcelona en plan de dominar la posesión. La idea de Valverde, a pesar del buen resultado que le trajo cederles la pelota a los ingleses hacía una semana, era que su equipo sea el dueño del control. Esto le dio la posibilidad a los de Klopp de jugar en el modo que más cómodo lo hacía sentir. Recuperando alto y saliendo rápido al contraataque.

Pero presionar alto al Barcelona también tiene su riesgo, y cuando Alexander-Arnold y Robertson intentaban apretar tanto a Alba como a Sergi Roberto, necesitaban tener cerca a Matip o Van Dijk, dependiendo el lado de la cancha, para que, en caso de superarse la primera presión, los delanteros *blaugranas* no reciban solos. En este sentido Liverpool alternó buenas y malas, por lo que las oportunidades para Messi y compañía llegaron en varias ocasiones, aunque espaciadas, durante el primer tiempo.

Alba y Messi conectaron varias veces, y el argentino obligó a Alisson a una gran atajada con un disparo desde dentro del área. Antes, Messi también había colocado a Coutinho de cara al gol, pero el brasileño pateó sin convicción y su compatriota, en el arco, contuvo sin mayores problemas.

Si esos pequeños desperfectos tácticos que podrían haberle costado la clasificación mostraron a un Liverpool que alternaba buenas y malas, la presión tras pérdida aplicada sobre todo por el trío ofensivo y los mediocampistas funcionó a la perfección. Mané era una pesadilla para Piqué y Sergi Roberto, y Robertson tuvo la chance más clara de la primera parte con un zurdazo potente que rechazó Ter Stegen. Antes de irse al vestuario, Shaqiri regaló una pelota increíble y un remate de Messi desde afuera del área se fue rozando el palo. Un gol del *Barça* obligaba al local a marcar cinco, por eso este tipo de situaciones no podían ocurrir, y el suizo se llevaba el reproche de prácticamente todos sus compañeros. Un minuto después, brotó la mejor ocasión del Barcelona: pase sensacional de Messi para Alba, que buscó una diagonal al mejor estilo Luis Suárez, pero no pudo definir en el mano a mano con Alisson.

Si bien el equipo había comenzado mejor de lo que había terminado tras 45 minutos, la ovación bajó desde las tribunas. El sueño estaba un poco más cerca y restaban dos goles para forzar un alargue. Aunque caía otra mala noticia en el vestuario y Andrew Robertson no iba a poder continuar debido a una fuerte entrada que recibió de Suárez instantes antes del descanso. Klopp decidió poner una vez más a su "comodín", Georginio Wijnaldum, para suplir una baja de un compañero. Milner pasaría a jugar de lateral izquierdo, una posición que ocupó durante toda la campaña 2017/18, y el neerlandés se ubicaba en el centro la cancha.

No habían pasado ni diez minutos del complemento cuando Wijnaldum ya había firmado un doblete. El primero a los 53', tras someter a Ter Stegen luego de una recuperación espectacular de Trent Alexander-Arnold en tres cuartos de cancha, a la que la siguió una asistencia. Y casi dos minutos después el centro llegaba desde la otra banda. Esta vez Shaqiri era el que lanzaba la pelota al área y la mira del suizo apuntó exactamente a la cabeza del neerlandés. Se habían desplegado las alas del avión rojo (esta vez con Shaqiri oficiando de Robertson) y las cosas del fútbol quisieron que Wijnaldum se transformara en héroe durante una noche en la que ni siquiera entraba en los planes.

Anfield deliraba al ritmo del *Heavy Metal* y Klopp liberaba la tensión acumulada con el puño en alto observando a la tribuna. Pero aún quedaba mucho por jugar. El Barcelona volvía a la carga herido en su orgullo, y daba la sensación de que aún había más cosas por vivir.

Messi era el encargado de detener los corazones rojos tras un control de pecho y un zurdazo potente al primer palo. Y Alisson se encargaba de volver a hacerlos latir con su atajada salvadora. Ya no había análisis táctico que resistiera tanta locura. *"Dinámica de lo impensado"*, dirían algunos, parafraseando al periodista argentino Dante Panzeri.

A doce minutos del final, llegó el pico del éxtasis. Alexander-Arnold parecía alejarse del lanzamiento de un córner para cederle la ejecución a Shaqiri, cuando de repente notó algo. Origi estaba completamente solo en el centro del área, y los defensores del Barcelona tuvieron ese segundo de desconcentración fatídico que, entre el defensor inglés y el delantero belga, les hicieron pagar caro. Hasta el propio Klopp se había desentendido de la jugada y explicó para la plataforma de medios *The Players' Tribune* cómo vivió ese instante inolvidable: *"Por desgracia, el momento más increíble de la historia de la Liga de Campeones… En realidad, no lo vi. Quizá sea una buena metáfora de la vida de un entrenador de fútbol, no lo sé. Pero me perdí por completo el momento de puro genio de Trent Alexander-Arnold. Vi la pelota salir por una esquina. Luego vi a Trent caminando para llevársela y a Shaqiri siguiéndolo. Pero luego me di la vuelta porque nos preparábamos para hacer una sustitución. Estaba hablando con mi asistente, y… ya sabes, se me pone la carne de gallina cada vez que pienso en ello… Sólo oí el ruido. Me di vuelta hacia la cancha y vi la pelota volando hacia el arco. Me volví a nuestro banco y miré a Ben Woodburn (joven jugador del Liverpool que estaba entre los suplentes ante tantas ausencias) y él preguntó: '¿Qué acaba de pasar', y yo le respondí: '¡No tengo ni idea! ¿Pueden imaginarlo? Dieciocho años como entrenador, millones de horas viendo partidos, y me perdí lo más descarado que me ha pasado en un campo de fútbol. Desde esa noche, probablemente he visto el vídeo del gol de Divock 500.000 veces. Pero en persona, solo vi la pelota golpear la red".*

Aquel 4-0 que pasaría a la historia era digno de un equipo que presenta una estructura colectiva en la cual se ve reflejada la personalidad de su entrenador, era el Liverpool de Jürgen Klopp. Mourinho lo explicó de forma muy clara en el canal *Bein Sports*: *"No me lo esperaba. Sostuve que era imposible y Anfield es el sitio ideal para que lo imposible se haga posible. Tengo que decir que, para mí, esta remontada tiene un nombre: Jürgen. Esto no fue filosofía ni táctica. Fue corazón, alma y la empatía que Jürgen ha creado en ese grupo de jugadores. Estaban en riesgo de terminar una temporada fantástica sin títulos que celebrar y ahora están a un pequeño paso de ser campeones de Europa. Jürgen se lo merece. El trabajo que está haciendo en el Liverpool es fantástico y todo eso es el reflejo de su espíritu luchador, de su personalidad y de aquellos futbolistas que lo dan todo. Si falta un jugador, Jürgen no llora. Juega cincuenta o sesenta partidos por temporada mientras que otros entrenadores de otras ligas se lamentan por jugar treinta y cinco o cuarenta. Todo tuvo que ver con la mentalidad de Klopp".*

En los últimos diez minutos de partido la actitud de Liverpool era conmovedora. Absolutamente todos seguían presionando a la línea defensiva del *Barça* a pesar de que el resultado estaba a su favor. Estábamos viendo a un equipo que no sabe especular, y qué mejor que adherirse al guion que más conocían. Tras ochenta minutos de pura épica, Origi corría a Piqué y recibía el respaldo de Henderson que apretaba la salida de Lenglet. Mané se tiraba al piso a disputar la pelota con Jordi Alba en el minuto 88. Y dos minutos después, ante un pase hacia atrás de Busquets, el que interceptó fue Sturridge, que estaba en la cancha hacía unos segundos, y el contraataque casi termina el gol de Mané.

El final del partido mostró a un Liverpool impenetrable, pero también a un Barcelona sin ideas. Van Dijk estuvo imperial y se encargó de sostener la organización defensiva de todo el Liverpool. La experiencia de Henderson y la polifuncionalidad de Milner habían sido dos factores clave. Y qué hablar de la suerte que tantas veces había jugado en contra de Klopp, como en la última final de Champions frente al Real Madrid, y que ahora aparecía en forma amistosa y parecía hacerle un guiño con las lesiones que posibilitaron la presencia de Origi y Wijnaldum, sus dos salvadores.

En España los medios se encargaron de rematar a un Barcelona que ya había sido destrozado futbolísticamente por el Liverpool. El diario *Sport* eligió una tapa negra y tituló: *"El mayor ridículo de la historia"*, *Marca* prefirió: *"Fracaso histórico"* y *Mundo Deportivo* hablaba de *"Vergüenza"*.

Un tiempo más adelante, mediante la serie *Matchday* se conocieron las palabras de Messi en la arenga previa al encuentro, en la que hablaba puntualmente del partido del año anterior ante la Roma: *"Vamos, gente, vamos a dar un pasito. No hay que desaprovechar la oportunidad. Dale, que estamos ahí. Vamos a salir fuerte. Lo de Roma fue culpa nuestra. De nadie más. Que no pase lo mismo. Eso fue culpa nuestra y de nadie más"*.

La historia para el *Barça* se repetía y Klopp no encontraba explicación para la noche que habían vivido en uno de los templos más grandes del fútbol: *"Toda la actuación, todo el juego fue en realidad demasiado. Fue abrumador. Le dije a los muchachos que era imposible, pero que solo porque eran ellos teníamos una oportunidad. Ganar ya era difícil, pero hacerlo sin encajar goles... No tengo muchas más palabras, más que decir que es increíble. Esta mezcla de potencial y de un corazón increíble nunca la había visto. Y en un partido como éste debes tener mucha confianza. Esto realmente demuestra que todo es posible en el fútbol. No le encuentro explicación a esta noche mágica"*.

Otra imagen de aquella velada que quedará grabada para siempre es el final del partido con todos los jugadores y el cuerpo técnico abrazados mientras 52.000 personas los acompañaban en el canto del "You'll never walk alone". Klopp, con Salah y su remera que pedía "Never Give Up" de un lado, y con Virgil van Dijk del otro, entonaba las estrofas de su himno favorito, en el que fue el mejor momento deportivo de su carrera.

Liverpool, secundado por una mística que solo envuelve a los clubes gigantes, una vez más se metía en una final de la Champions League. Y Jürgen Klopp, en lo personal, necesitaba que la tercera, de una vez y por todas, fuera la vencida.

## 3.14
## LA PREMIER DE LOS 97 PUNTOS

"A *Pep* siempre se lo ve perfecto.
Cuando yo grito me veo como un asesino serial"

Si hay algo más insólito que conseguir la descabellada suma de 97 puntos en una Premier League, es que otro equipo consiga 98. Ese punto de diferencia es lo que separó al Liverpool de reencontrarse con un trofeo que no conquista desde 1990 (cuando Klopp recién había debutado como jugador en Mainz 05), pero por entonces la liga ni siquiera era llamada con ese nombre.

Esa campaña 2018/19 ha sido la perfecta metáfora para la rivalidad entre Jürgen Klopp y *Pep* Guardiola, quienes se enfrentaron por primera vez en Alemania y que desde entonces han competido cabeza a cabeza, gracias a sus propuestas radicalmente antagónicas que marcaron una época.

El primero de los duelos se había dado a mediados de 2013 por la Supercopa de Alemania, y fue la bienvenida que le dio el Dortmund a Guardiola con un 4-2 eléctrico. Tiempo más adelante el catalán confesó que fue una gran lección para él y que entendió perfectamente por qué Klopp tildaba a su futbol de *Heavy Metal*.

Tras seis años, hasta el final de la temporada 2018/19, la suma deja un total de 16 duelos, con ocho victorias para Klopp, seis para *Pep* y dos empates. En Alemania se enfrentaron en ocho ocasiones, con cuatro victorias para cada uno, y aunque Guardiola dominó de manera rotunda la Bundesliga durante esos años, en los choques mano a mano frente a Klopp quedará marcado por las victorias del Dortmund en las dos finales de Supercopa alemana (2013 y 2014), y por el 3-0 sufrido como local por la Bundesliga en abril del 2014.

Klopp dirige a los *Reds* desde octubre de 2015 y Guardiola llegó al City en julio de 2016. Desde entonces se han enfrentado en once juegos, y nuevamente a pesar de que *Pep* dominó los torneos domésticos, los cuartos de final de Champions League en el 2018, con goleada 3-0 en la ida, es la batalla más importante que disputaron ambos entrenadores, y una vez más, quedó en manos del alemán.

Aquella temporada de Premier League 2018/19 mostró a dos equipos prácticamente invencibles. De hecho, la única derrota del Liverpool durante ese año en Inglaterra fue, justamente, ante el Manchester City en la fecha 21. Hasta entonces Liverpool sostenía el primer puesto con 17 victorias y tres empates, dejando al City relegado en el tercer lugar, a siete puntos de un equipo que parecía encaminado al título.

Un mes antes, el 8 de diciembre del 2018, Manchester City caía frente al Chelsea en la fecha 16 y ponía fin a su invicto de 21 partidos consecutivos en la Premier. La última derrota databa de abril, cuando en el derbi de Manchester el equipo de Mourinho dio vuelta un 2-0 abajo y se quedó con un 3-2 memorable.

El mismo día en el que el City caía ante Chelsea, Liverpool goleaba al Bournemouth con tres tantos de Mohamed Salah y se erigía como único líder, con un punto de ventaja sobre los de Guardiola. Los tropiezos de forma consecutiva ante Crystal Palace y Leicester, dejaron a los *Citizens* a siete puntos de Liverpool llegada la fecha 21.

De haber ganado aquella noche en Manchester, los de Klopp hubieran estirado a diez unidades la ventaja sobre su principal rival en la lucha, pero los goles del argentino Sergio Agüero y el alemán Leroy Sané volvieron a encaminar al cuadro celeste en la pelea: *"Había mucha presión y era un partido muy intenso. Tuvimos mala suerte a la hora de definir. Más mala suerte que el City. Sané marcó en una situación similar a una en la que Mané acertó al palo. Es siempre así, tienes que marcar en esos momentos. Cuando Agüero marca, no había ángulo. En parecidas situaciones, nosotros no lo hicimos"*, reflexionaba el Klopp.

Guardiola se quedaba con un duelo que ya de por sí era clave, y que luego sería todavía más importante al repasar los números del campeón al final de la temporada. El que ahora iba a tener su tropiezo era el Liverpool. Y luego de tres empates en cinco fechas, entre las que goleó 5-0 al Watford, llegaba el clásico ante Everton en la jornada 29.

Con un City que no paraba de ganar, y con su victoria en Bournemouth para quedar como transitorio líder hasta que jugaran los de Klopp, el partido ante Everton ya tenía el rótulo de decisivo: *"El 0-0 mantiene nuestra racha positiva frente a este club, sin embargo, no era el resultado que buscábamos. Pese a esto, no está mal si tenemos en cuenta que fue un juego complicado"*, decía Klopp tras el clásico de la ciudad. El Liverpool cedía la punta al City después de mucho tiempo, y nunca iba a poder recuperar ese punto de ventaja que consiguieron los de Manchester.

A partir de entonces la escuadra de *Pep* fue una aplanadora y ganó absolutamente todos sus partidos. Por su parte, el Liverpool también venció a todos sus rivales desde aquella fecha 22, lo que dejó un final apasionante, donde cualquier pérdida de puntos por parte de ambos equipos hubiera significado o una definición para el City o una posibilidad para los de Klopp de arrebatar el título.

En la penúltima jornada el Liverpool visitaba al Newcastle United el sábado por la noche, y el lunes siguiente, Manchester City tenía un durísimo viaje a Leicester, rejuvenecido tras la llegada del técnico Brendan Rodgers.

Los *Reds* vencieron por 3-2 en el juego que cortaba al medio aquella semana en la que eliminaría al Barcelona en Champions League, y dejaba la fuerte baja de *Mo* Salah. Mientras que el City sufrió hasta casi el final del partido, cuando el belga Kompany soltó una bomba inolvidable en el ángulo de Kasper Schmeichel. Si había un partido en el que Manchester podía perder puntos, era ese, y las pocas esperanzas del Liverpool se diluían tras la victoria.

En la última fecha el Liverpool vencería al Wolverhampton 2-0 y Manchester City se encargaría de golear al Brighton 4-1. Guardiola se quedaba con una Premier League histórica tras conseguir 98 puntos y, además, el entrenador lograba el récord de un póker de títulos en Inglaterra que jamás se había conseguido: Premier League, FA Cup, Copa de la Liga y Community Shield: *"Ganar títulos es adictivo, es una vitamina para lograr más"*, sentenciaba el catalán.

Tras meses de seguir la estela del City, Liverpool por su parte también se quedaba con un amargo récord, ya que con sus 97 puntos era el mejor subcampeón la historia de las cinco grandes ligas europeas, superando los 96 puntos del Real Madrid en la temporada 2009/10, en la que finalizó por detrás de los 99 del Barcelona, dirigido, justamente, por Guardiola.

Ambos entrenadores fueron galardonados en la Asociación de Escritores de Fútbol a finales de 2019, y en un discurso más que relajado (aunque con altas cargas de ironía), tanto Klopp como *Pep*, intercambiaron palabras. Primero fue el turno del alemán: *"Le comentaba hace unos segundos a Pep como viví el gol de Kompany ante el Leicester la temporada pasada. Al día siguiente jugábamos contra el Barcelona por lo que el día estaba preparado para entrenar de cara al partido. Cuando llegué a casa mi mujer me dijo 'vamos, ahora veamos el partido', y yo dije 'bueno... no estoy seguro'. Pero en ese partido segundo a segundo iba creyendo. Hasta que vi cómo el Leicester poco a poco se iba cansando y me enfadé mucho con ellos. Y entonces Kompany marcó desde fuera del área".*

Enseguida llegó el turno de Guardiola de responder: *"Lo que no sabe Jürgen es que lo que sintió con el gol de Kompany el año pasado es lo que yo siento semana tras semana cuando ellos marcan en los últimos minutos (durante la última temporada 2019/20). Siempre estoy ahí pensando 'esta vez sí, esta vez sí va a pasar' y nunca pasa. Estoy seguro de que quiero ganar ese trofeo (la Champions) y él quiere ganar este otro (la Premier), quizás podamos intercambiarlos este año".* Y por último le lanzaba un comentario ácido: *"El Manchester City es un club muy, muy rico. Así que nosotros pagaremos la cena"*, en alusión a las declaraciones de Klopp de hacía algunos días en las que tildaba al City de gastar doscientos millones por temporada en refuerzos.

La rivalidad siempre fue más allá del nivel de elite que mostraron los equipos de ambos entrenadores durante toda su carrera. Sino más bien, lo atractivo de ella es que ambos proponen transmitir su pasión, pero desde dos lugares distintos. Mientras Klopp quiere equipos de puro vértigo, Guardiola busca la excelencia en la posesión de la pelota. Si *Pep* es una copa de vino, Jürgen es una botella de cerveza, y así lo explicaba el alemán a la revista *FourFourTwo*: *"No me importa lo que la gente dice de mí, pero sé que la gente cree que no soy muy táctico porque soy demasiado apasionado para serlo. Soy el chico de las emociones. Pep también siempre está animado, pero no tanto. Se le ve mejor que a mí cuando grita. Él siempre está perfecto en su cuerpo, su ropa... todo es perfecto. Cuando yo grito me veo como un asesino serial...".*

Durante aquella temporada en la que Liverpool no se pudo quedar con la Premier League, tuvo su revancha a nivel internacional y, luego del título, si bien la admiración entre ambos entrenadores continúa siendo la misma, sus cruces de palabras conllevan dosis de sarcasmo cada vez más elevadas. La última gran discusión entre ambos giró en torno a si era más importante ser campeón en la Premier o en la Champions. Guardiola prefiere la liga inglesa: *"Quiero ser feliz durante once meses y la Premier League me hace feliz. No voy a ir al casino y apostar todo lo que tengo a siete partidos de Champions".* A lo que Klopp respondió: *"Es normal que Guardiola prefiera la Premier porque lleva años sin jugar una final de la Champions".*

Hoy en día, la Champions League continúa siendo la asignatura pendiente del Manchester City, y también de *Pep* Guardiola, quién nunca pudo volver a conseguirla desde que dejó Barcelona. En contrapartida, la Premier League es lo que se deben Klopp y su Liverpool. Quizá, como propuso el catalán, a mediados de 2020 hayan podido haber intercambiado los últimos títulos que consiguieron, para así completar sus historias en Inglaterra.

Mientras tanto se podrá seguir disfrutando de su música. A veces triunfará el *Heavy Metal* de Jürgen, y otras, la orquesta de *Pep*.

## 3.15
## LIVERPOOL CAMPEÓN DE EUROPA

"A un perdedor, perder lo derrota.
A un ganador, perder lo inspira"

*"No creo que haya tenido mala suerte en mi carrera. Ha habido problemas. Mi mujer me pregunta siempre cuál es el último partido de la temporada, y desde el 2012 he llegado a finales cada año, exceptuando el 2017. Algunas veces hemos llegado con suerte, y otras no. Probablemente bata el récord de las semifinales disputadas, soy el rey de las semifinales. Pero soy un ser humano, y si pienso que soy el motivo y todo gira entorno a mí, es decir si me viera como un perdedor, entonces todos tendríamos un problema. Es verdad que nunca hemos estado del lado de los afortunados, pero para tener suerte hay que trabajar. Entiendo que no he tenido una carrera desafortunada".*

Jürgen Klopp disputaría su tercera final de Champions League en seis años, y en la conferencia previa al partido dejaba claro que el camino no había sido nada fácil. La espina de haber perdido las anteriores, si bien estaba clavada y molestaba lo suficiente, no cambiaba las formas del entrenador para seguir insistiendo a su manera. Klopp se había convertido en un especialista en lidiar con el fracaso, y eso tarde o temprano trae su recompensa.

El Wanda Metropolitano, nuevo estadio del Atlético Madrid desde finales de 2017, se vestía de gala para recibir a los dos equipos ingleses que remontaron de manera épica en sus partidos de semifinales.

El Tottenham de Mauricio Pochettino no se había quedado atrás con respecto al Liverpool en su historia de dar vuelta series imposibles. Hacía un mes el equipo londinense perdía 1-0 con el Ajax en la ida de semifinales, y como local. La revancha tendría lugar una semana después en Ámsterdam, y el resultado de 2-0 abajo al finalizar el primer tiempo, no dejaba las mejores sensaciones de cara a los últimos 45 minutos de eliminatoria. Para colmo, el entrenador argentino no contaba con su principal figura, Harry Kane, quien estaba de baja por cincuenta días luego de una lesión ligamentaria en su tobillo izquierdo.

Con un Tottenham condenado a atacar y prácticamente sin ningún argumento táctico, el extremo brasileño Lucas Moura iba a coronar la mejor noche de toda su carrera. Primero con su doblete en cuatro minutos (55' y 59') y finalmente al convertir en a los 95' uno de los goles más gritados en la historia de los *Spurs*. El 3-2 como visitante le daba el pase a la final al conjunto de Pochettino y dejaba afuera a la sorpresa de aquella Champions. El Ajax de Erik ten Hag mereció durante tres cuartos de eliminatoria jugar la final ante el Liverpool, pero se le escapó en el último suspiro.

La recuperación de Harry Kane se iba a acelerar y finalmente el inglés sería parte de la definición en Madrid. Su entrenador hacía referencia a que era tan importante para el Tottenham *"como Messi para el Barcelona"* y el jugador agradecía el halago: *"Es todo un honor que diga eso de mí, pero el mérito es de él por crear el espíritu de este equipo. Es increíble ver cómo tu equipo del alma va progresando hasta convertirse en uno de los mejores de Europa. Yo me siento personalmente en deuda con todos mis compañeros, por haberme perdido la semifinal y el segundo partido de cuartos. Quiero darlo todo en la final y estoy listo para jugar"*.

Klopp también recuperaba a sus dos delanteros estrella. Salah venía de disputar el último encuentro de la Premier League 2018/19 y solo restaba confirmar la presencia del brasileño para así disponer del mejor once posible: *"Firmino está listo. Si quieren saber la alineación se la cuento luego. Está en perfecta forma. Espero que no le haya pasado nada desde que se bajó del avión"*.

La final del año anterior en Kiev frente al Madrid tenía que servir de experiencia, y perder ese tipo de batallas deja enseñanzas. Así lo resumía Trent Alexander-Arnold: *"Como nos ganó el Madrid nos ha hecho madurar. Nos ha mostrado el camino para ganar partidos, para asegurar más el arco en cero y en general para mejorar. Tenemos esa experiencia que nos va a motivar. No quiero sentirme como me sentí en Kiev el año pasado"*.

Al contar con todos sus soldados a disposición, Klopp se mantuvo fiel a su 4-3-3, y Wijnaldum le terminó ganando la pulseada a Milner por un lugar en el mediocampo.

La confirmada presencia de Kane obligaba a Pochettino a tomar una dura decisión. El increíble momento que pasaba el surcoreano Heung-Min Son, sumado a la jerarquía del danés Christian Eriksen y Dele Alli en la mitad de la cancha, eran suficiente motivo para que Lucas Moura se quedara fuera del equipo titular tras ser el héroe de la clasificación ante Ajax.

La disposición del entrenador argentino sería su también habitual 4-5-1 con Harry Winks y el francés Moussa Sissoko como doble pivot para combatir, y con Eriksen, Alli y Son detrás de Kane para generar juego. Ambos equipos contaban con laterales muy ofensivos y profundos, por lo que tendría principal incidencia en el juego quién ganaba el duelo por cada costado, Kieran Trippier debía cuidar las subidas de Robertson pero a su vez Alexander-Arnold debía ocuparse de los ataques de Danny Rose.

El equilibrio de Liverpool en el medio nuevamente sería tarea de Fabinho, quien acompañado por Wijnaldum y Henderson tendría que bloquear el manejo, sobre todo, de Eriksen y Dele Alli.

La habitual terna ofensiva de Klopp necesitaba una noche de esplendor para que la línea de fondo de Pochettino no tuviera paz. Algo que ocurrió durante los dos partidos que ambos equipos habían disputado por la Premier durante esa misma temporada, en la que si bien solo Firmino convirtió en ambas victorias por 2-1 del Liverpool, los tres tuvieron grandes actuaciones. De no poder neutralizarlos, los londinenses iban a tener problemas, porque si el *Heavy Metal* no se cortaba desde la raíz, luego sería muy difícil detenerlos en plena función.

Los once del Liverpool: *Alisson; Alexander-Arnold, Matip, Van Dijk, Robertson; Henderson, Fabinho, Wijnaldum; Salah, Firmino y Mané.*

*Los once del Tottenham: Lloris; Trippier, Alderweireld, Vertonghen, Rose; Sissoko, Winks; Dele Alli, Eriksen, Son; y Kane.*

El 1º de junio de 2019 a las 21:00, y ante más de 63.000 personas, el árbitro esloveno Damir Skomina daba inicio a la final. Tan solo ciento ocho segundos después Mohamed Salah convertía el segundo gol más rápido en una final de Champions League. Récord que, a día de hoy, sigue en manos de Paolo Maldini por su tanto a los 40 segundos en la final del 2005.

Si había que comenzar atacando de forma eléctrica, el Liverpool llevó el plan a la perfección. Tras el saque del medio, Robertson y Mané salieron disparados hacia arriba, Joel Matip lanzó el pelotazo y tras ganar la segunda pelota el balón le cayó al senegalés, que al intentar el centro al área encontró en el camino la mano de Sissoko. Penal para el equipo de Klopp en apenas veintidós segundos de juego, y tras la ausencia de intervención del VAR, el egipcio convertiría desde los doce pasos.

Un año después de verse forzado a salir de la cancha por la acción de Sergio Ramos, y luego de lucir ante el mundo su camiseta que pedía nunca rendirse durante el desenlace con el Barcelona, Salah escribía su propia justicia y la de todo Liverpool.

Desde entonces, y con el resultado a favor, debía quedar claro lo que expresaba Alexander-Arnold un día antes: *"Como nos ganó el Madrid nos ha hecho madurar",* y esa fue la premisa de los de Klopp. Nada de locuras ni de complicar el partido. El resultado fue un primer tiempo chato, y prácticamente sin situaciones de peligro, porque el Liverpool quiso que así fuera. La experiencia de Kiev los había hecho madurar, y para imponerse, la calidad de los jugadores es tan importante como su experiencia.

Sin la necesidad de arriesgar un gramo de partido, no era fundamental que solo Fabinho se acerque a los dos centrales para conseguir salir del fondo, por lo que a la presencia del brasileño se sumó la de Henderson. De esta manera además de ofrecer otra opción de pase, también conseguían estar defensivamente mejor parados ante cualquier imprevisto.

El Tottenham no estaba diseñado para presionar tan alto, y menos si el Liverpool sumaba un jugador en su salida, por lo que los *Reds* consiguieron la superioridad numérica desde el fondo de manera casi habitual y sin sobresaltos. El gol había cambiado el plan del Liverpool y esto arrastraba al Tottenham a un nuevo partido.

Como los blancos adelantaron unos metros la línea defensiva por la obligación del resultado en contra, Firmino aprovechaba para recostarse casi en el círculo central y si uno de los dos marcadores centrales de los Spurs lo seguía, ese espacio era una tentación para buscar la diagonal tanto de Mané como de Salah.

Al salir del fondo, Harry Winks era quien se acercaba a iniciar el juego entre los belgas Alderweireld y Vertonghen. Si no había presión del Liverpool, que durante toda la primera mitad se dio en momentos alternados, podía avanzar con tranquilidad hasta casi tres cuartos de cancha, pero si Firmino daba la orden y salían a presionar, era Sissoko el que debía acercarse para colaborar. Y ahí fue cuando Henderson aparecía con la mayor intensidad posible, con el objetivo de que el francés no recibiera cómodo.

Si en el primer tiempo la intención del Tottenham fue que la pelota les llegara por los costados a Trippier y a Rose, en el segundo el guion cambió totalmente. Quizá por la falta de éxito que trajo consigo el "Plan A", y muy probablemente por la desesperación que provocaba que los minutos pasaran. Lo cierto es que el nuevo libreto mostraba la necesidad de buscar a Harry Kane con balones largos para que Son aprovechase la espalda de los defensores en una segunda jugada, pero Van Dijk y Matip estuvieron sobresalientes y prácticamente no permitieron que hubiera turbulencias en el camino al minuto noventa.

Si hubo un momento en el que temblaron los Reds fue entre los 75 y los 85 minutos. Son intentó varias veces desbordar por la izquierda para asistir a Kane dentro del área, pero sus esfuerzos eran intrascendentes. Un remate del propio coreano que luego no pudo capitalizar Moura en el rebote, y un tiro libre de Eriksen, forzaron dos buenas atajadas de Alisson. Si un año atrás las inseguridades de Karius privaron al Liverpool del título, ahora Alisson equilibraba la balanza. Aquellos fueron los últimos manotazos de un Tottenham Hotspur que se ahogaba en su impotencia.

Con su campera y su infaltable gorra, Klopp no había parado de gritar y hacer ademanes durante toda la final. Por entonces, ya parecía al borde del colapso.

Origi estaba en la cancha hacía rato tras reemplazar a Firmino, y luego de un córner de Milner a cuatro minutos del final, Fabinho dejó solo al belga luego de que la jugada se ensuciara, para que este rematara con un zurdazo cruzado digno de un elegido. Otra vez Origi. Uno de los héroes de Anfield ante el Barcelona volvía a anotarse en el resultado para sentenciar la final de Madrid: *"Es una leyenda aquí en Liverpool"*, diría Klopp tiempo después. Van Dijk se desplomaba boca arriba entendiendo que se había acabado. Ya no había nada que el Tottenham pudiera hacer. El Liverpool iba a ser dueño de Europa.

Dominar la posesión ante un equipo tan intenso, no resulta nada fácil, y si bien el gol tan temprano cambió el desarrollo del partido de forma radical, esa había sido la intención de los de Londres.

Si el Manchester City, el mejor del mundo en ese rubro, siempre tuvo grandes complicaciones para imponer su estilo ante los de Klopp, quizá el Tottenham debía haber buscado otro camino. Demasiado cuestionado fue también el entrenador por dejar en el banco a Lucas Moura en lugar de explotar su velocidad desde el inicio. Y demasiado castigo recibió el argentino por *"morir con Harry Kane en los noventa minutos"*, visto que no estaba ni cerca de un estado físico óptimo que le permitiera actuar en su nivel.

Pochettino, por su parte, rompió en llanto cuando rodeado por su cuerpo técnico vio al Liverpool levantar la Copa. El argentino hizo un trabajo sensacional desde su llegada a Londres y dotó a un equipo con grandes jugadores de un funcionamiento colectivo digno de una final europea: *"Lo más importante es que fuimos un equipo competitivo. El penal fue un golpe psicológico muy difícil de asimilar. En el segundo tiempo tuvimos chances, pero no hemos estado acertados. Hay que pensar en positivo entre el dolor y la derrota. Generamos el doble de ocasiones que el rival, pero las finales se ganan por detalles y hemos perdido ante un gran equipo que es un justo campeón"*, cerró en conferencia.

Se acababa el partido, y con él los rótulos que asediaban a Jürgen Klopp. La Champions League que conquistaba el Liverpool en Madrid, luego de catorce años, sería la culminación de un torneo fantástico y que premiaba al equipo más completo de toda Europa. Lejos había estado el Liverpool de su nivel habitual, pero como dijo el alemán luego del encuentro: *"Hemos jugado finales mejores y las hemos perdido"*.

La cuenta oficial de Liverpool publicó en sus redes sociales, seis minutos en continuado de un seguimiento al entrenador alemán desde el momento en el que el árbitro esloveno pitó el final del partido. El abrazo con el capitán Jordan Henderson fue el desencadenante de un llanto que hasta entonces parecía controlarse con mucho esfuerzo, pero que dejaría salir para disfrutar de un momento inigualable. Uno por uno fue saludando a cada jugador de su plantel. Desde el primer titular, hasta el último suplente. Y esa es una de las capacidades del entrenador alemán, hacer sentir especial hasta al menos relevante de los suyos.

Ahora el trofeo que Jürgen Klopp merecía hace tiempo, estaba ya en su vitrina: *"Es la mejor noche de nuestras carreras. Es realmente increíble. Hemos tenido días muy intensos en la temporada, pero al final hemos ganado para la alegría de esta gente. Me siento aliviado, especialmente por mi familia porque las últimas veces nos habíamos ido de vacaciones con la medalla de plata, y en esta ocasión no ha sido así. También es un triunfo de nuestros dirigentes que nunca nos han presionado. Y sobre todo de estos jugadores".*

Al otro día las calles del condado de Meryside y especialmente las de Liverpool, su capital, fueron una absoluta locura, y ante la increíble cantidad de hinchas que habían ido a recibir a los campeones de la sexta Copa de Europa del club, Klopp intentó resumir todo su sentir en una frase a *The Players' Tribune: "Si hubieras podido poner todas las emociones, todo el amor en el aire ese día y embotellarlo, el mundo sería un lugar mejor".*

Los festejos se extenderían varios días por las calles de Liverpool, y como ocurriera alguna vez en Mainz, y luego en Dortmund, toda una ciudad quedaba rendida a los pies del entrenador. Jürgen Klopp había llevado al club la inyección de adrenalina que necesitaba y, tras cuatro años de trabajo, había logrado despertar al gigante rojo.

Desde los ascensos frustrados y el descenso con Mainz, pasando por las finales de Champions perdidas con Borussia Dortmund y Liverpool, hasta la coronación de la Champions League 2018/2019, si bien en el camino hubieron varias rosas, en realidad también sobraron espinas, pero nadie dudaba que se estaba forjando la inspiración de un ganador. Porque a un perdedor, perder lo derrota, y a un ganador, como lo es Jürgen Klopp, perder lo inspira.

# 4.

## BONUS TRACK

# 4.1
# KLOPP EN PRIMERA PERSONA

## "Tal vez estoy soñando"

Jürgen Klopp demuestra que fuera del terreno de juego sus convicciones son tanto o más fuertes que dentro del mismo. Desde que era muy joven, sintió la necesidad de colaborar con los demás y él mismo habló de que aún hoy lo poseía un *"síndrome de ayudar"*. Abiertamente se ha declarado como cristiano y de fe protestante, y cada vez que puede explica por qué Dios es tan importante en su vida. Hace muchos años fue muy claro con respecto a este tema: *"Jesús es la persona más importante de la historia"* y en 2016 profundizó el concepto que tiene sobre la vida, en el que la religión ocupa un terreno preponderante: *"El problema es que soy cristiano. Esto, en sí mismo, no es un problema, sino que la cuestión es que creo que otras personas también pueden tener éxito. Cuando observo mi vida, y es algo para lo que aparto tiempo cada día, entonces siento que estoy sensacionalmente en buenas manos. Siento lástima por el hecho de que otras personas no tengan este sentido de seguridad, aunque no lo sepan, por supuesto. De otra manera, seguramente lo buscarían".*

En 2007, mientras dirigía al Mainz 05, sintetizó en una frase cuál creía que era su objetivo en la vida: *"Yo diría que nuestra misión es hacer que nuestro minúsculo pedazo de tierra sea más hermoso. La vida consiste en hacer que los lugares por donde pasas sean mejores, y en no tomarte las cosas demasiado en serio. Hay que darlo todo. Amar y ser amado".*

Así como la religión, la política también envuelve una parte muy importante de su vida, y su posición privilegiada no lo aleja de decir exactamente lo que piensa, como en 2007 cuando le dijo al periódico *Die Tageszeitung*: *"Soy de izquierda, por supuesto. Más de izquierda que de centro. Creo en el estado del bienestar. No tengo seguro privado y nunca votaré a quien prometa bajarle los impuestos a los más ricos. Si hay algo que nunca haré en mi vida es votar a la derecha".*

En este sentido, se generó un revuelo bastante importante en Inglaterra cuando le pidieron opinar sobre el *Brexit*, movimiento que impulsó la separación de Gran Bretaña de la Unión Europea. Tras una primera votación en tierras inglesas durante 2016, el resultado fue 51% contra 49% a favor de abandonar la Unión Europea, y Klopp se mostró en contra de esta decisión en una entrevista otorgada al diario *The Guardian*: *"No soy de ningún modo la persona adecuada para hablar del Brexit, pero si me preguntan doy mi opinión. ¿Qué la gente me escucha? Quizás ese sea el problema: la gente escucha a las personas equivocadas. Por eso Trump es presidente de los Estados Unidos. Por eso los ingleses han votado el Brexit. La Unión Europea no es perfecta, no ha sido perfecta y no será perfecta. Pero es la mejor idea que hemos tenido hasta el momento. Pensémoslo una vez más. Votemos otra vez con la información adecuada. Aprobar el Brexit con el 51% contra el 49% de los votos no tiene ningún sentido".*

En internet, como es habitual, hubo reacciones de todo tipo. Pero eso es algo que no molesta en lo más mínimo, ya que detesta las redes sociales: *"La mejor decisión de mi vida fue no tener redes sociales. La gente que me critica puede escribir lo que quiera, pero la diferencia es que yo no veré nada. La prensa podrá decirme: 'Escribieron algunas cosas sobre ti en las redes', pero yo no las siento"*, declaró luego del fatídico partido del arquero Loris Karius en la final frente al Real Madrid que le costó al Liverpool la final de la Champions 2018.

El 23 de octubre de 2019 Jürgen Klopp fue elegido en los premios *The best*, otorgados por la FIFA, como el mejor entrenador del mundo. De esta manera vencía en la votación a *Pep* Guardiola, multicampeón con el Manchester City durante esa temporada, y a Mauricio Pochettino, de labor sobresaliente en Tottenham.

Un día después de obtener el premio, *The Players' Tribune* (una maravillosa plataforma donde los protagonistas publican contenido en primera persona) ofrecía un artículo escrito por el propio Klopp, en el que el entrenador exponía todo su sentir a corazón abierto.

Si quieren leer el artículo completo (en inglés) pueden visitar el siguiente link: https://www.theplayerstribune.com/en-us/articles/jurgen-klopp-liverpool-fc. Aquí se destacan algunos párrafos que sobresalen en su testimonio:

"...Honestamente, cuando tenía 20 años, si alguien viniera del futuro para decirme todo lo que iba a pasar en mi vida, no lo hubiera creído. En ese entonces experimenté el momento que cambió completamente mi vida. Yo también era un niño, pero acababa de ser padre. No fue el momento perfecto, para ser honestos. Estaba jugando al fútbol amateur y yendo a la universidad durante el día. Para pagar la escuela, trabajaba en un almacén donde guardaban películas para el cine. Los camiones venían a las seis de la mañana a recoger las nuevas películas, y nosotros cargábamos y descargábamos esas enormes latas de metal. Dormía cinco horas cada noche, iba al almacén por la mañana y luego a clase durante el día. Por la noche iba a entrenar, y luego volvía a casa e intentaba pasar algún tiempo con mi hijo. Fueron tiempos muy difíciles. Pero me enseñó sobre la vida real...".

"...A veces la gente me pregunta por qué siempre estoy sonriendo. Incluso después de perder un partido, a veces sigo sonriendo. Es porque cuando nació mi hijo, me di cuenta de que el fútbol no es vida o muerte. No estamos salvando vidas. El fútbol no es algo que deba propagar la miseria y el odio. El fútbol debe ser una fuente de inspiración y alegría, especialmente para los niños. He visto lo que una pequeña pelota redonda puede hacer por la vida de muchos de mis jugadores. Los viajes personales de jugadores como Mo Salah, Sadio Mané, Roberto Firmino y muchos de mis muchachos son absolutamente increíbles. Las dificultades a las que me enfrenté cuando era joven en Alemania no eran nada comparadas con lo que tenían que superar ellos. Hubo tantos momentos en los que pudieron haberse rendido fácilmente, pero se negaron a abandonar. No son dioses. Simplemente nunca se dieron por vencidos con su sueño. Creo que el 98% del fútbol se trata de lidiar con el fracaso y aún así poder sonreír y encontrar la alegría en el juego al día siguiente...".

*"…Mi mayor triunfo como entrenador nació de un desastre. Perder por 3-0 ante el Barcelona en la Liga de Campeones la temporada pasada fue el peor resultado imaginable. Cuando nos preparábamos para el partido de vuelta, la charla de mi equipo fue muy sencilla. Principalmente, hablaba de tácticas. Pero también les dije la verdad: 'Tenemos que jugar sin dos de los mejores delanteros del mundo. El mundo exterior está diciendo que no es posible. Y seamos honestos, probablemente sea imposible. Pero porque son ustedes, tenemos una oportunidad'. Realmente lo creí. No se trataba de su capacidad técnica como futbolistas. Se trataba de quiénes eran como seres humanos, y todo lo que habían superado en la vida. Lo único que añadí fue: 'Si fracasamos, fracasemos de la forma más hermosa' (…) El mejor momento fue levantarse a la mañana siguiente y darse cuenta: 'Sigue siendo verdad. Realmente sucedió'. Para mí, el fútbol es lo único más inspirador que el cine. Te despiertas por la mañana y la magia es real. Realmente derribaste a Drago. Realmente sucedió…".*

*"…El año pasado, me inspiró mucho ver a Juan Mata, Mats Hummels, Megan Rapinoe y tantos otros futbolistas unirse al movimiento 'Common Goal'. Si no sabes del trabajo que están haciendo, es increíble. Más de 120 jugadores se han comprometido a donar el 1% de sus ingresos a las ONG del fútbol de todo el mundo. Ya han ayudado a apoyar programas de fútbol juvenil en Sudáfrica, Zimbabwe, Camboya, India, Colombia, el Reino Unido, Alemania y muchos otros países. Esto no es algo solamente para los futbolistas más ricos del mundo. Un once titular de la selección nacional femenina canadiense se ha unido a la causa. Se han incorporado futbolistas de Japón, Australia, Escocia, Kenia, Portugal, Inglaterra, Ghana… ¿Cómo es posible que no te sientas inspirado por esto? De eso se trata el fútbol. Solo quiero ser parte de esto. Así que prometo destinar el 1% de mi salario anual a 'Common*

*Goal' y espero que muchas, muchas más personas en el mundo del fútbol se unan a mí. Seamos honestos, chicos. Somos extremadamente afortunados. Es nuestra responsabilidad como personas privilegiadas devolver algo a los niños de todo el mundo que sólo necesitan una oportunidad en la vida. Piensa en lo que podríamos lograr si todos nos uniéramos y diéramos el 1% de lo que ganamos para hacer una diferencia positiva en el mundo. Tal vez soy ingenuo. Tal vez soy un viejo loco soñador. ¿Pero para quién es este juego? Todos sabemos muy bien que este juego es para soñadores".*

Gracias por soñar, Jürgen.

## 4.2
## HABLAN SOBRE KLOPP

### ILKAY GUNDOGAN

"Jürgen quiere que corras, que juegues con pasión y luches por cada pelota. Él es más emocional y alguien que puede motivar muy bien, mientras que *Pep* Guardiola es más táctico". 23/10/2016

### CÉSAR LUIS MENOTTI

"El Liverpool ha demostrado la capacidad de su entrenador. Es una sorpresa para algunos, pero durante toda su carrera ha formado equipos que interpretaron su idea. Tiene algunas diferencias con Guardiola, pero son detalles. Ambos tienen un profundo respeto por la pelota, y Klopp también elige jugadores de buena técnica sin renunciar a la búsqueda del resultado a través del buen juego. Está entre los mejores entrenadores del mundo y no solo por lo hecho en Liverpool, ya lo venía demostrando en Alemania pero la gente a veces solo reconoce al entrenador desde el éxito. Hoy ha encontrado los jugadores ideales para su sistema y es el mejor equipo del mundo". 14/2/2020

### JAVIER MASCHERANO

"Pep es más música clásica, y el Liverpool de Klopp es un equipo capaz de tener muchos estadíos en el mismo partido. Es extraordinario. Tiene salida desde atrás, juega directo, hace presión alta y sabe replegarse. Es impredecible". 28/1/2020

## ROBERT LEWANDOWSKI

"Lo más importante que me ha dado Jürgen es la fuerza de creer que puedo jugar al más alto nivel. Me dio este impulso y me hizo pasar a la siguiente etapa, yo no sabía que tenía este potencial. No me daba cuenta de lo que escondía. Gracias a él estoy aquí ahora en mi vida. Como persona y como entrenador, es simplemente extraordinario". 18/2/2019

## BENJAMIN AUER

"Definitivamente es muy motivador. Tiene este increíble talento para emocionar a los jugadores. Se las arregla para encontrar las palabras correctas en el momento correcto, ese era el caso en Mainz y si ves partidos como el de Barcelona recientemente, todavía tiene éxito. Es un gran entrenador y el título más grande pertenece a un gran entrenador. Lo trato con todo mi corazón y no conozco a nadie que merezca el título más que él. 30/5/2019

## JOSEP GUARDIOLA

"Quizá sea el mejor entrenador del mundo creando equipos que ataquen directamente. Me gusta mucho la forma en la que ellos juegan, porque en 3 o 4 segundos ya te están atacando. Juegan con mucha gente, con y sin la pelota, y eso les da mucha intensidad. La primera vez que jugué contra él, en la Supercopa de Alemania, fue una buena lección para mí (4-2 a favor del Dortmund). Sus equipos son agresivos, no tienen pausa… Entiendo perfectamente por qué dice que su fútbol es Heavy Metal". 30/12/2016

## JOSÉ MOURINHO

"No me esperaba la remontada frente al Barcelona. Dije que era imposible y Anfield es el sitio ideal para que lo imposible se haga posible. Tengo que decir que, para mí, esta remontada tiene un nombre: Klopp. Esto no fue filosofía ni táctica. Fue corazón, alma y la empatía que Jürgen ha creado en ese grupo de jugadores". 7/5/2019

## JORDAN HENDERSON

"Sin este entrenador, obtener esta Champions League hubiera sido imposible. Ha habido momentos duros esta temporada, pero lo que ha hecho Jürgen desde que llegó al Liverpool es increíble. Ha creado un vestuario muy especial, con mucho compañerismo. Todo el mérito de este título debe ser para el entrenador". 2/6/2019

## MATS HUMMELS

"Con Jürgen teníamos algunos enfrentamientos de vez en cuando, pero todo estaba bien al día siguiente. Éramos casi como una familia y cada uno sabía cómo era el otro. Siempre reflexiona sobre lo que le dicen, pero a veces no está de acuerdo y él es quien tiene la última palabra. Él es el jefe". 1/4/2018

## LUCAS BARRIOS

"Klopp es un loco lindo. Un entrenador muy intenso por la manera en la que vive los partidos. Un central se tira a robar una pelota y él lo celebra como si fuese un gol. Así vive él los entrenamientos y uno se acostumbra a eso". 10/1/2019

## DEJAN LOVREN

"Empezamos a creer cuando él dijo 'De incrédulos a creyentes'. Jürgen cambió cosas en el club, desde pequeños detalles como decir 'buenos días' a todos, hasta limpiar la mesa cuando nos vamos. Creo que algunos de esos pequeños gestos se están perdiendo en algunos clubes. Es solo una cuestión de respeto. Cuando se tiene esto fuera del campo de juego, también se siente adentro". 24/10/2019

## *KUBA* BLASZCZYKOWSKI

"En Dortmund éramos un equipo. Todavía estamos en contacto. Klopp crea ese sentimiento donde todo es como una familia. Apoya a todos y a cada uno de los jugadores. Había ese calor, esa humanidad. Él es el entrenador, y cuando es trabajo, entonces es trabajo. Pero nos divertimos después de las sesiones de entrenamiento. Y eso viene de adentro, es natural. Ese es Jürgen Klopp". 8/10/2018

## NURI SAHIN

"Te hacía sentir cómodo. Te daba confianza. Siempre me sentí muy libre en el campo de juego. Sabía que podía cometer errores, sabía que podía intentar mis pases de 30 metros, sabía que podía correr de área a área sin preocuparme por lo que podía decir el presidente del club si me equivocaba. Klopp hizo algo especial. Todos íbamos a trabajar muy contentos y no queríamos irnos. Hacíamos todo juntos. Si alguien tenía problemas, lo arreglábamos juntos". 8/10/2018

## JÜRGEN KLINSMANN

"Klopp es una persona a la que quieres desearle el bien. Pone tanta energía en su trabajo, tanto esfuerzo y trabajo duro… La forma en que se ganó a la gente de Liverpool y la forma en que se convirtió en uno de ellos, simplemente merece haber conseguido el trofeo al final. Él es un adicto al trabajo, eso está en nuestra sangre, de dónde venimos. Klopp es una esponja que siempre quiere aprender, nunca se satura". 5/6/2019

## MARIO GÖTZE

"Me enseñó todo sobre el fútbol cuando era chico. Es un entrenador de clase mundial y por eso siempre es una opción volver a trabajar con él. Trabajar con *Pep* fue distinto. Sí, era un gran entrenador, pero se enfoca tanto en el campo de juego que no piensa en sus jugadores. Le falta empatía, y la empatía es esencial para ser un entrenador de clase mundial". 9/6/2019

## CARLO ANCELOTTI

"Es un amigo y un entrenador superior. Es difícil de enfrentar, con gran experiencia. Cuando miras a los equipos que ha entrenado, te das cuenta de que todos tienen una identidad clara: son dinámicos, agresivos y muy verticales". 2/10/2018

## ERIK TEN HAG

"Si Klopp es el ganador del premio al entrenador del año de la FIFA, estaría más que justificado. Los que ha logrado con el Liverpool es muy impresionante". 2/8/2019

## MARCO REUS

"Dios, ¡Jürgen era un animal! Si se sentaba enfrente tuyo con ese aura y esa agresividad que irradia siempre que habla, realmente te impresionaba. Raramente un entrenador habla de esa forma. Te pone bajo su hechizo y no te deja ir. Yo dejé la conversación con el corazón palpitando, y esa fue definitivamente una de las razones por la que firmé con el Dortmund en 2012". 18/7/2019

## VIRGIL VAN DIJK

"Es simplemente fantástico, un entrenador completo con un plan claro. Sus habilidades para gestionar jugadores son excelentes. Lo hace solo por instinto, y siempre dice las cosas de la forma correcta. Simplemente hizo un 'click' en ese momento, en la filosofía del club, con todo el personal, con los jugadores, todos somos uno. Creo que eso es muy importante en un club de fútbol, y ojalá podamos lograr más cosas juntos". 12/11/2019

## KEVIN PRINCE BOATENG

"Sabe lo que tiene que decir para que un jugador muera por él, jugaría a sus órdenes hasta en la China". 30/4/2019

# BIBLIOGRAFÍA

## LIBROS

Klopp: Bring the Noise, de Raphael Honigstein

Boom!: How Jürgen Klopp's Explosive Liverpool Thrilled Europe, de Paul Tomkins

Herr Pep, de Martí Perarnau

Pep Guardiola. La metamorfosis, de Martí Perarnau

Karneval am Bruchweg: Die großen Jahre von Mainz 05, de Christian Karn y Reinhard Rehberg

Lo suficientemente loco. Una biografia de Marcelo Bielsa, de Ariel Senosiain


## ONLINE

https://www.transfermarkt.com
https://www.soccerway.com
https://www.bundesliga.com
https://www.swr.de
https://www.goal.com

https://www.bbc.com/
http://lamediainglesa.com/
https://www.martiperarnau.com/
https://www.foxsports.com.ar/
https://www.independent.co.uk/
https://www.faz.net
https://www.Infobae.com.ar
https://www.liverpoolfc.com
https://www.thisisanfield.com
https://www.liverpoolecho.co.uk/
https://www.dw.com/
https://www.welt.de
https://rmcsport.bfmtv.com/
https://www.lavanguardia.com/
https://www.focus.de/
https://laciudadrevista.com/
https://www.theplayerstribune.com/
https://www.theanfieldwrap.com/
https://www.espn.com.ar/
https://www.fr.de/
https://torgranate.de/
https://www.footballdatabase.eu/
https://www.skysports.com/
https://twitter.com/estoesanfield_
http://www.estoesanfield.es/
https://www.pasionfutbol.com/
https://es.uefa.com/

## DIARIOS

ABC (Madrid, España)
Marca (Madrid, España)
AS (Barcelona, España)
Mundo Deportivo (Barcelona, España)
Sport (Barcelona, España)
Bild (Alemania)
Die Tageszeitung (Alemania)
Die Welt (Alemania)
Frankfurter Rundschau (Alemania)
Der Spiegel (Alemania)
Daily Mirror (Inglaterra)
The Sun (Inglaterra)
Liverpool Echo (Inglaterra)
The Times (Inglaterra)
Telegraph (Inglaterra)
The Guardian (Inglaterra)
The Daily Telegraph (Inglaterra)
La Nación (Argentina)
Clarín (Argentina)
Olé (Argentina)

## REVISTAS

Kicker (Alemania)
Marti Perarnau, revista digital
El Gráfico (Argentina)
Panenka (España)
FourFourTwo (Reino Unido)

## FILMOGRAFÍA

Trainer!, de Aljoscha Pause
Aufstieg des 1.Fsv Mainz 05 2003/2004

# SIGAMOS EN CONTACTO

Twitter: @DataKlopp
Instagram: @DataKlopp
Mail: LibroKlopp@hotmail.com

Printed in Poland
by Amazon Fulfillment
Poland Sp. z o.o., Wrocław